MUITO ALÉM DAS CÂMERAS

Não restam dúvidas de que o YouTube chegou para ficar! Desde que foi lançada, em 2005, a plataforma passou por transformações e foi ganhando cada vez mais espaço na vida e nos negócios das pessoas. Graças a ela, até uma nova – e rentabilíssima – profissão foi criada: youtuber!

Também é inegável que constantemente surgem diferentes canais – no entanto, conquistar um público fiel e ganhar um grande número de seguidores não é para todos. Para se destacar, não basta apenas gravar vídeos e postá-los: é necessário se diferenciar, se dedicar e, claro, criar conteúdos que despertem real interesse do público-alvo que a pessoa deseja atingir.

Para ajudar nesta tarefa, elaboramos este guia com todas as informações necessárias para quem quer se tornar especialista no assunto. Aqui, vamos ensinar passo a passo como criar perfil e canal no YouTube, analisar as métricas, montar um estúdio em casa, organizar um roteiro, gravar conteúdos interessantes e rentáveis e muito mais! Pronto para dar o primeiro passo para o sucesso?

ÍNDICE

06
ARQUIVO YOUTUBE
Curiosidades e informações sobre a plataforma

12
TUTORIAL
Como montar um canal e se tornar um criador de conteúdo da rede social

40
PARA LUCRAR
Diferentes formas de monetizar seu canal

56
ESTATÍSTICAS
Como usar as ferramentas que medem o desempenho dos vídeos

72
MUNDO DOS LANÇAMENTOS
Tipos de lançamentos existentes e os primeiros passos para entrar nesse universo!

80
ILHA DE EDIÇÃO
Técnicas que todo iniciante em edição de vídeos precisa saber

90
YOUTUBE KIDS
Principais nomes e como acessar a versão infantil da plataforma

98
EDUTUBERS
Como vender cursos para quem aderiu à educação a distância desde a pandemia

104
YOUTUBE E A INDÚSTRIA MUSICAL
Por que o app se tornou um dos palcos da música no mundo digital

110
PODCASTS
Dicas de conteúdo para esse formato que faz tanto sucesso no Brasil

116
ESTÚDIO EM CASA
O que é necessário para montar um estúdio com baixo investimento

120
TÉCNICAS DE SEO
Como fazer seus vídeos subirem no ranking de resultados de pesquisa do YouTube

126
ROTEIRO
Passo a passo com os tópicos que todo roteiro para YouTube deve ter

130
BIBLIOGRAFIA

TUDO SOBRE O YOUTUBE

Arquivo
YouTube

POR CAROLINA SALOMÃO | IMAGENS: SHUTTERSTOCK

HÁ MAIS DE 15 ANOS, O GOOGLE FAZIA UM DOS INVESTIMENTOS MAIS ASSERTIVOS DO MERCADO DIGITAL E COMPRAVA O YOUTUBE. QUER SABER COMO ESSA HISTÓRIA SE DESENROLOU ATÉ CHEGAR À POTÊNCIA QUE A PLATAFORMA É HOJE? LEIA A SEGUIR!

Se você é um dos Millennials (nascidos entre 1980 e 1994) ou um dos primeiros membros da Geração Z (nascidos entre 1995 e 2010), consegue se lembrar de um mundo em que para assistir a um videoclipe precisava correr para a TV no horário marcado pela grade de programação da emissora. Ou, na melhor das hipóteses, fazer o download pelo computador – mesmo que demorasse horas para concluir. Postar um clipe próprio? Jamais!

Foi pensando em como hospedar vídeos para enviar entre pessoas próximas que os amigos Chad Hurley, Steve Chen e Jawed Karim criaram o YouTube – na época, um simples site. Por isso, o trio não poderia imaginar a proporção que a ideia ganharia ainda em 2005 – quanto mais adivinhar que hoje, após quase duas décadas, a plataforma faria parte das redes sociais que revolucionariam a nossa comunicação e, principalmente,

a nossa forma de fazer negócios! Com isso, novas questões surgiram – das mais básicas às mais técnicas: "Devo criar um canal?", "que tipo de vídeo apresenta o melhor dos engajamentos?" ou "como fazer um anúncio no YouTube?". Sem contar a importância de entender as métricas, o domínio das ferramentas que o próprio aplicativo disponibiliza para ajudar no alcance do seu conteúdo, além da constante procura por novos meios de venda, como os lançamentos do universo de quem fatura múltiplos dígitos em poucos dias. Opa, parou na pergunta do engajamento? Calma! Aqui, vamos explicar o passo a passo para criar uma conta no YouTube, começando pela origem da rede social. Afinal, para encontrar oportunidades dentro dela, nada melhor do que iniciar pela história do aplicativo que faturou 28,8 bilhões de dólares em 2021!

CAPÍTULO 1

TUDO SOBRE O YOUTUBE

TÚNEL DO TEMPO:
CURIOSIDADES DA HISTÓRIA DO YOUTUBE!

1 O PRIMEIRO PASSO

Fundado oficialmente no dia 14 de fevereiro de 2005 pelos amigos Chad Hurley, Steve Chen e Jawed Karim, o YouTube era apenas um domínio da internet que trazia somente as abas de "Favoritos", "Mensagens", "Vídeos" e "Meu Perfil".

2 O PRIMEIRO VÍDEO

Me at the zoo (ou "eu no zoológico", em português) é o título do primeiro clipe postado na plataforma por Jawed Karim. Ele tem apenas 18 segundos e mostra um dos fundadores do YouTube em um passeio no local.

3 O PRIMEIRO ESCRITÓRIO

Quem vê o luxo dos YouTube Spaces espalhados pelo mundo nem imagina como era o primeiro escritório da marca. Localizado em San Mateo, na Califórnia, em cima de dois restaurantes, o local era tão simples que não havia paredes: as salas eram separadas por cortinas!

4 A PRIMEIRA PUBLI

No ano seguinte à criação da plataforma, o vídeo da primeira publicidade no YouTube foi postado com ninguém menos que Ronaldinho Gaúcho, a convite da Nike! Com uma parceria dessas não tinha como deixar de se especular o futuro promissor do site, né?

5 A COMPRA PELO GOOGLE

No primeiro ano, o YouTube já contava com 2 milhões de visualizações por dia em toda a plataforma e cerca de 200 mil usuários cadastrados, marca importante para os recursos da época, e limite de 100 MB para uploads. Por isso, esses números não passaram despercebidos, chamando atenção de gigantes do mercado, como Yahoo! e Microsoft. No entanto, quem levou a melhor foi o Google, que comprou a plataforma em outubro de 2006 por 1,65 bilhão de dólares. Para se ter uma ideia do sucesso da aquisição, o app registrou uma receita de 28,8 bilhões de dólares com publicidade somente em 2021.

6 YOUTUBE NO BRASIL

No dia 19 de junho de 2007, nasceu o YouTube em português brasileiro, assim como versões no Japão e em países na Europa. No mesmo ano, também surgiu o YouTube Awards, com a finalidade de premiar os melhores vídeos da plataforma na época, incentivando a produção de conteúdo na rede social.

7 RECEITA

Também foi em 2007 que a marca começou a colocar em prática estratégias mais formais para gerar receita. A primeira delas se chamava Content ID, que visava o pagamento de direitos autorais. O segundo projeto era o Programa de Parcerias, e a terceira medida tomada pela marca incluía a exibição de anúncios dentro dos vídeos.

8 AVANÇOS TECNOLÓGICOS

Desde então, como consequência, o YouTube não parou mais de receber melhorias tecnológicas, como a versão mobile do site em 2008 e o surgimento dos vídeos HD em 2009. Outra curiosidade foi o nascimento do famoso like, ou "joinha", em 2010! Quem poderia imaginar que essa ferramenta ainda seria tão importante para o engajamento dos produtores de conteúdo após mais de uma década?

9 NOVO CEO

Ainda em 2010, a primeira mudança na diretoria do YouTube aconteceu: o iraniano Salar Kamangar se tornou o CEO da marca, após ser um dos primeiros funcionários da plataforma. Hoje, Salar não atua mais nessa posição, mas é um dos executivos sênior do próprio Google.

10 O PRIMEIRO BILHÃO

Depois do surgimento dos vídeos ao vivo em 2011, foi em 2012 que nasceu um dos maiores hits da história do YouTube: o clipe da música Gangnam Style, do cantor sul-coreano PSY, que ultrapassou a marca do 1 bilhão de views em poucos meses. Só quem viveu sabe!

11 MUDANÇA DE ALGORITMO

Antes, o destaque na página principal da plataforma e as sugestões de vídeos eram baseados na quantidade de visualizações, mas em 2012 o YouTube sofreu a primeira mudança drástica no algoritmo e mudou o jogo. Agora, os canais que conseguiam manter a atenção dos inscritos por mais tempo levavam a melhor. Por isso, os vídeos foram se tornando cada vez mais longos, saindo da média dos 5 minutos.

12 ATUALMENTE

Hoje em dia, para cair nas graças do tão comentado algoritmo do YouTube, é preciso levar uma série de métricas em consideração. O tempo de retenção continua na lista, mas também há o número de cliques no vídeo, interações (likes, comentários e compartilhamentos), frequência de envios e outros fatores para ficar de olho.

TROFÉU DO YOUTUBE

O programa Prêmios para Criadores do YouTube (*YouTube Creator Awards*, no original em inglês) é a forma mais famosa – e cobiçada – de a plataforma reconhecer os criadores de conteúdo. Como os troféus têm formato do botão play, representando o próprio logo da rede social, eles também levam o nome de Play Button ou Placas do YouTube, já que alguns deles chegam enquadrados. Porém, para iniciar a conquistá-los é preciso atingir o mínimo de inscritos de cada categoria, começando por "apenas" 100 mil espectadores. Além disso, há outros critérios de qualificação, como manter o canal ativo nos últimos 6 meses e estar em conformidade com os termos de serviços do aplicativo.

TUDO SOBRE O YOUTUBE

YOUTUBE EM NÚMEROS

14,3 BILHÕES é o total de visitas que a plataforma recebe por mês, perdendo apenas para o Google (45,4 bilhões)

1,7 BILHÃO é o número de visitantes únicos mensais na rede social

138 MILHÕES de brasileiros usam o YouTube (usuários acima dos 18 anos)

9% foi o crescimento entre os usuários brasileiros na plataforma entre outubro de 2021 e fevereiro de 2022

FAIXA ETÁRIA:

85,5% dos usuários têm menos de 35 anos

25 - 34 anos é a média de idade da audiência mais popular no YouTube

GÊNERO:

46,1% da audiência no YouTube é feminina

53,9% da audiência na plataforma é masculina

TEMPO:

Das 14h às 16h é a melhor faixa de horário durante a semana para postar vídeos no aplicativo

694 mil horas de vídeo é a média postada no app por minuto!

19 minutos é o tempo médio gasto por dia pelos usuários do mundo inteiro

5 h é o tempo médio gasto por semana na rede social pelos usuários brasileiros

23h7m é o tempo médio gasto por mês por usuários de todo o mundo

ANÚNCIO:

51,8% é o alcance do anúncio no YouTube, se comparado ao total de usuários em toda a internet!

32% é o alcance do anúncio no YouTube, se comparado ao total da população

4º é o lugar do Brasil no ranking de países com o maior público de publicidade no YouTube, perdendo somente para Índia (1º lugar), Estados Unidos (2º lugar) e Indonésia (3º lugar)!

FOTOS: REPRODUÇÃO DA INTERNET

CELEBRIDADES

+226 milhões de inscritos é a marca do maior canal da plataforma, chamado T-Series e pertencente a uma gravadora/estúdio de filmes indiano!

+66 milhões de inscritos é a marca do canal mais popular do Brasil, que pertence à produtora de filmes e gravadora KondZilla, famosa pela atuação no cenário do funk brasileiro

+44 milhões de inscritos é a marca conquistada por Felipe Neto e Whindersson Nunes, segundo e terceiro lugares no ranking de canais mais populares no Brasil, respectivamente. Disputa acirrada!

+14 milhões é o número de inscritos da maior youtuber mulher do Brasil: Camila Loures.

+11 bilhões é o número de visualizações do vídeo mais assistido dentro da plataforma: "Baby Shark Dance" (Pinkfong Baby Shark – Kids' Songs & Stories)

Fontes: Digital 2022 Global Overview Report da We Are Sociale Hootsuite; Instagram de Rafael Kiso (@rkiso); Hootsuite Blog "23 YouTube Stats That Matter To Marketers in 2022"; e Oberlo "Melhores Horários Para Postar Nas Redes Sociais em 2022 (Infográfico)".

NA PRÁTICA

SEJA UM YOUTUBE
creator

POR CAROLINA SALOMÃO | IMAGENS: SHUTTERSTOCK

CONHEÇA O PASSO A PASSO DA CONSTRUÇÃO DE
UM CANAL NO YOUTUBE E COMECE SUA JORNADA COMO
CRIADOR DE CONTEÚDO OFICIAL DA PLATAFORMA,
APRENDENDO TUDO SOBRE AS FERRAMENTAS
NECESSÁRIAS PARA SAIR À FRENTE DA CONCORRÊNCIA!

É verdade que cada rede social tem um tipo diferente de perfil e de conteúdo. Por exemplo, um especialista não se comunica no Facebook da mesma forma que ele entrega conteúdo no Instagram. Por isso, descobrir qual postura o YouTube busca em seus criadores irá colocar o seu canal no caminho certo logo no início. Mas o que os inscritos querem ver por lá? "Eu diria que as pessoas têm o objetivo de aprender. É claro que existe o entretenimento, mas se eu procurar por uma receita ou por como consertar algo em casa, acesso o YouTube [...] Aproveito os tutoriais, as curiosidades. Posso estar enganado, mas para a preparação do ENEM (Exame Nacional do Ensino Médio), por exemplo, não penso que vai ser no Instagram ou no TikTok que o aluno

irá se aprofundar", explica Leonardo Gonçalves Souza, um dos fundadores do canal educativo Minuto da Terra, que já soma mais de 860 mil inscritos! O segredo de tanta audiência? São muitos, mas podemos adiantar que o domínio das ferramentas do próprio aplicativo faz toda a diferença. Entre os recursos estão as lives (transmissões ao vivo) com a possibilidade de monetização simultânea, as estatísticas (métricas em tempo real) do desempenho dos seus vídeos, além da possibilidade de criar uma assinatura do canal para ter acesso ao conteúdo extra – ou até receber o vídeo com antecedência. Ficou um pouco perdido? Não se preocupe! É neste guia que você irá descobrir tudo sobre a rede que tem o potencial de alcançar 2,53 bilhões de público de publicidade!

CAPÍTULO 2

NA PRÁTICA

TUTORIAL DA CRIAÇÃO DO CANAL

CRIE UMA CONTA

Não fique para trás: aprenda agora o passo a passo do cadastro no YouTube direto do seu celular!

PASSO 1

Acesse a loja de apps do seu smartphone (Apple Store para iOS, ou Google Play Store para Android) e faça o download gratuito do YouTube.
Após o download concluído, é só clicar em "Abrir".

PASSO 2

Esta será a primeira tela que irá aparecer para você, no modo sem login. Clique no ícone superior à direita da tela para conectar uma conta de e-mail ao aplicativo.

PASSO 3

Clique no botão azul "Fazer login".

PASSO 5

Após preencher com o e-mail desejado, você estará oficialmente cadastrado no YouTube! Para confirmar, é só verificar se o ícone no canto superior à direita da tela apresenta um círculo com a primeira letra do nome escolhido.

PASSO 4

Importante lembrar que o YouTube aceita apenas contas do Google, ou seja, e-mails do serviço Gmail. Por isso, você será redirecionado para as telas acima.

PRIMEIRO CONTATO

Ao atualizar a tela depois do cadastro, já é possível perceber a plataforma agindo para conhecer os gostos do usuário: a pergunta sobre sugestões de vídeo tende a aparecer com frequência até aos inscritos mais antigos! Para contribuir com o algoritmo – que, segundo o próprio YouTube, significa "loop de feedback em tempo real que adapta os vídeos aos diferentes interesses de cada espectador" – basta medir pelos smiles o quanto o vídeo em questão tem a ver com os seus objetivos no aplicativo. Também é possível receber recomendações de uma das ferramentas mais recentes da rede social: os Shorts, vídeos curtos e mais dinâmicos, semelhantes à proposta dos Reels no Instagram.

NA PRÁTICA

CONHEÇA POR DENTRO

Os primeiros passos já foram dados! Porém, o canal ainda não foi criado. Antes, que tal se familiarizar com a tela de início do YouTube? Confira a seguir todos os ícones básicos da plataforma:

CANTO SUPERIOR DA TELA

- **Conectar a um dispositivo:** O "quadradinho com sinal semelhante ao do Wi-Fi" serve para você ativar o YouTube em outros aparelhos por AirPlay ou Bluetooth, além de oferecer a possibilidade de vincular a conta com o código da TV.

- **Sino:** A famosa frase de youtuber "clica no sininho e ative as notificações" nunca fez tanto sentido! Afinal, é nessa área que você irá encontrar todos os avisos dos seus canais favoritos, como a estreia de um vídeo. O mesmo ocorre com os seus inscritos em relação ao seu canal.

- **Lupa:** É aqui que você encontra o buscador do YouTube e pode procurar por qualquer conteúdo ou canal da rede.

- **Explorar:** Esse é o ícone que começa a segunda fileira. Aqui, você será direcionado aos vídeos com maior destaque das categorias "Em alta", "Música", "Filmes", "Esportes", "Ao vivo", "Jogos", "Notícias" e "Aprender".

- **Barra de sugestões:** Deslizando o dedo para a esquerda, você terá acesso a outras sugestões separadas por temas, como, por exemplo, "Frutas" ou "Comédia de esquetes". Também é possível ver alternativas mais personalizadas, como "Enviados recentemente", "Assistidos" e "Novidades para você".

CANTO INFERIOR DA TELA

- **Início:** Para voltar à home page do YouTube, é só clicar neste ícone da "casinha".

- **Shorts:** Parecido com os Reels do Instagram, você terá acesso aos vídeos curtos mais relevantes do momento. É só mover o dedo para cima!

- **Ícone de "+"**: Ao clicar aqui, o menu de conteúdo irá surgir no canto inferior da tela, entregando as opções: "Criar um Short", "Enviar um vídeo" ou "Transmitir ao vivo".

- **Inscrições:** Nesta aba, você terá acesso à lista de todos os canais em que se inscreveu, com sugestões de vídeos de cada um. É uma boa forma de se atualizar sobre os seus conteúdos preferidos.

- **Biblioteca:** Aqui será o espaço em que todos os seus vídeos estarão reunidos, sejam os últimos assistidos ou os de produção própria. Além disso, é possível conferir o seu histórico de pesquisa, os vídeos salvos, filmes e programas alugados dentro da plataforma, vídeos marcados com "gostei" e as playlists criadas por você.

CRIE SEU CANAL

Agora que você já conectou a sua conta de e-mail ao YouTube, chegou a hora mais aguardada: criar seu próprio canal! Confira o passo a passo detalhado de todo o processo. Para isso, você vai precisar apenas do seu smartphone:

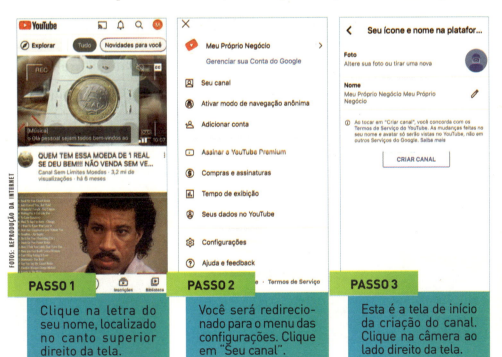

PASSO 1
Clique na letra do seu nome, localizado no canto superior direito da tela.

PASSO 2
Você será redirecionado para o menu das configurações. Clique em "Seu canal".

PASSO 3
Esta é a tela de início da criação do canal. Clique na câmera ao lado direito da tela.

NA PRÁTICA

PASSO 4

É hora de escolher a foto, que pode ser da biblioteca do seu celular ou tirada no momento. Depois de escolher a imagem, clique em "Salvar".

PASSO 5

Antes de prosseguir, é normal que apareça um botão para confirmar sua conta. Clique nele.

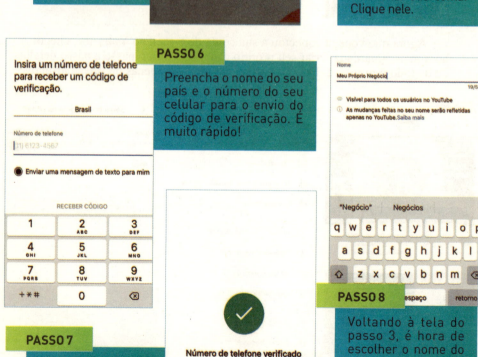

PASSO 6

Preencha o nome do seu país e o número do seu celular para o envio do código de verificação. É muito rápido!

PASSO 7

Depois de receber o código via SMS, o número de telefone estará confirmado.

PASSO 8

Voltando à tela do passo 3, é hora de escolher o nome do canal! Clique no lápis para ser levado à caixinha de texto da imagem. Depois, é só clicar no ícone do canto superior direito para confirmar.

PASSO 9

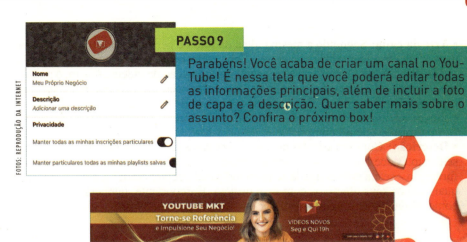

Parabéns! Você acaba de criar um canal no YouTube! É nessa tela que você poderá editar todas as informações principais, além de incluir a foto de capa e a descrição. Quer saber mais sobre o assunto? Confira o próximo box!

Francielle Mianes

Canal no YouTube:
/FrancielleMianes
Perfil no Instagram:
@franmianes
Website:
franciellemianes.com.br

Francielle Mianes é jornalista com mais de 8 anos de experiência em televisão. Hoje, ela também é especialista em YouTube marketing voltado para profissionais liberais. Além do canal no YouTube, ela trabalha com mentorias e cursos on-line.

ANÁLISE DE UM PERFIL DE SUCESSO

Está sem ideias para o nome e a foto? Não sabe o que fazer com a capa e a descrição do canal? Sem problemas: trouxemos a análise de perfil da expert em vídeo marketing Francielle Mianes. Inspire-se!

• **Nome do canal:** Essa escolha é bastante pessoal, mas seja o seu próprio nome, da sua empresa ou de um projeto, a dica é ser simples e direto, respeitando o limite de 50 caracteres da caixinha de texto. Além de transmitir uma mensagem mais profissional, a audiência irá identificar o foco do canal com mais rapidez.

• **Foto do perfil:** Esse será o seu cartão de visitas do YouTube! Sendo assim, é importante que a imagem esteja sempre atualizada e ligada à forma como você se comunica com a audiência, tanto nas cores quanto nas expressões faciais. Por exemplo, se você usa o humor com frequência nos vídeos, uma expressão mais engraçada não irá fugir da sua identidade. Outra dica é apostar nos contrastes das cores do fundo da imagem com a roupa.

- **Arte da capa:** Seguindo a mesma ideia da foto de perfil, a imagem da capa deve estar alinhada à identidade visual ou à linha editorial da sua marca, tanto nas cores quanto nas fontes. Outra ideia é colocar a programação de vídeos. Assim, o público cria o senso de constância e familiaridade com o seu canal. Você pode ser mais específico como a Francielle e colocar algo do tipo "segunda e quinta, às 19h", ou escrever apenas "vídeos novos toda semana". Porém, seja cuidadoso: só afirme compromissos que irá cumprir!
- **Descrição:** Com um espaço de 1 mil caracteres, é hora de pensar na sua apresentação. Você pode escrever sobre a trajetória até o YouTube, mencionar a sua formação – se ela estiver ligada ao nicho do canal, melhor ainda! –, além de mostrar quais são os seus objetivos com esse projeto. É importante, também, deixar claro como os seus vídeos podem resolver os problemas do seu público-alvo.

OS 3 PILARES DO CONTEÚDO

Um conceito já está claro: quanto maiores o conteúdo de valor e engajamento do seu canal, maiores são as chances de conversão! Afinal, diferentemente do que se acreditava antigamente, os especialistas do marketing digital entenderam que número de inscritos está longe de ser sinônimo de boas vendas. E para aumentar a conexão com o seu público-alvo é preciso definir, primeiro, qual ele será! "No meu primeiro canal, eu falava sobre todo tipo de curiosidades. De repente, percebi que os vídeos sobre sonhos lúcidos geravam muita repercussão. Porém, como eu não tinha claro quem era a minha audiência, acabei atraindo crianças de 10 a 12 anos que queriam ter um sonho lúcido com a namoradinha da escola [risos]. Precisei dar um passo para trás e definir meu público-alvo", compartilhou Francielle Mianes, especialista em YouTube Marketing e dona do canal que leva o próprio nome. Mas como começar a entender o seu nicho? É nesse bate-papo exclusivo com a expert que você irá entender três conceitos principais para a criação do tão sonhado canal. Confira agora!

1. NICHO

Quanto mais específico for o assunto tratado no seu canal, melhor! Isso ocorre porque o YouTube é uma plataforma de buscas e sempre tenta prever o comportamento do usuário. Por isso, ele conta com o algoritmo, que recomenda os melhores vídeos do nicho pesquisado. E é aqui que entra a importância de definir seu tema antes mesmo de começar a postar no aplicativo, já que o nicho nada mais é do que um segmento da sua área de atuação. "Por exemplo, se uma nutricionista fala sobre emagrecimento e ganho de massa muscular, o YouTube pode ficar confuso na hora de sugerir o material dela. Em um primeiro momento, ele vai entregar o conteúdo de emagrecimento para alguém, mas e o outro? Às vezes, essa pessoa não se interessa por aquilo. No entanto, se eu falo apenas de emagrecimento, é mais fácil para o algoritmo fazer essa previsão", explica Fran. Mas, como encontrar o nicho ideal? Segundo Francielle, é importante se fazer três perguntas iniciais:

Quanto de conhecimento tenho na área? "Se você é nutricionista, entende mais de emagrecimento, ganho de massa muscular ou tipos de dieta? Qual desses assuntos você tem mais interesse em se aprofundar?", esclarece.

Sobre qual área gosto mais de conversar com os clientes? "Aqui, entra a paixão. Sobre qual desses assuntos você é mais apaixonado?", explica a especialista.

Qual área é mais rentável? "Você precisa pensar em qual área vai encontrar mais demanda de mercado e, assim, começar a ganhar dinheiro com esse trabalho", conclui Fran.

2. PÚBLICO-ALVO

Depois de entender um pouco mais sobre o seu nicho, é hora de definir o público-alvo do canal. Afinal, mesmo que o nicho seja mais específico, o público segue abrangente. "O meu nicho pode ser para pessoas que querem emagrecer, mas e o público? Ele pode ser para pessoas que querem uma barriga chapada, por exemplo, ou para quem acabou de sair de uma obesidade. Ainda assim, existem vários perfis. Então, é muito importante você estar ciente de qual audiência quer atingir", explica Fran. Para isso, a especialista orienta desenhar o seu cliente ideal, pensando em qual é a pessoa com quem você mais gosta de conversar e quem mais valoriza o seu serviço. "Às vezes, é aquela mulher na faixa dos 35 anos, bem-resolvida, que vem ao meu consultório porque busca uma alimentação mais saudável", sugere a especialista.

3. CRONOGRAMA EDITORIAL

Segundo Francielle, quando você cria conteúdo para as redes sociais, é importante fazer a jornada do consumidor com a audiência, que consiste em ver o seu cliente em potencial – ou lead – e passar por todas as fases do funil de vendas até que, finalmente, ele compre o seu produto ou serviço! Para conseguir ter uma visão geral de como a jornada do consumidor ocorre, a criação de um calendário de conteúdo estratégico é essencial. "Você precisa saber quais conteúdos vão ser postados e por que eles vão entrar no seu canal naquele momento. Por exemplo, não adianta falar sobre como começar um canal no YouTube e, no dia seguinte, postar algo como "Para você que já atingiu os 1 mil inscritos". A comunicação não faz sentido. Eu preciso acompanhar a jornada da minha audiência", conclui Mianes.

CONTEÚDO ESTRATÉGICO

Para entender mais sobre a jornada do consumidor é preciso estudar os tipos de conteúdo e as diferentes necessidades que eles atendem – tanto dos clientes quanto das fases do seu funil de vendas. Por isso, pedimos a ajuda de Rafael Kiso, fundador da mLabs e eleito o Melhor Profissional de Planejamento Digital pela Abradi (Associação Brasileira dos Agentes Digitais). Em bate-papo exclusivo, ele explica sobre a metodologia dos 3Hs: Help, Hub e Hero. "Na prática, existem três tipos de conteúdo que uma estratégia dentro do YouTube necessita ter, o que faz com que você precise manter uma certa frequência", antecipa o especialista. Ficou curioso para saber o que cada "H" significa e como aplicá-los para o público e momento certos? Explicamos a seguir!

01 CONTEÚDO ESTILO HELP

Definição do especialista: "Esse tipo de conteúdo ajuda as pessoas na busca que elas já estão fazendo. Então, ele precisa corresponder a essas pesquisas", explica Kiso.
Local do funil: Base
Função principal: O conteúdo deve ter como objetivo esclarecer as dúvidas mais comuns do dia a dia do usuário e do nicho em que ele atua, por exemplo.
Formatos: Tutoriais, listas e resenha de produtos são ótimos formatos para essa fase do funil de vendas!
Frequência: A indicação de Kiso é quanto mais, melhor! "Quanto mais conteúdo tipo Help você criar, de acordo com as buscas que o seu público já faz, mais audiência orgânica você terá. Então, é a mesma estratégia de SEO", declara Kiso.

02 CONTEÚDO ESTILO HUB

Definição do especialista: "Nada mais é do que criar conteúdo novo para quem já é assinante do canal. É aquele conteúdo relevante, premeditado, como um canal de TV mesmo, no qual as pessoas ficam esperando que aquilo aconteça. E, por isso, elas assinam, porque querem mais conteúdos como aquele", explica Kiso.
Local do funil: Meio
Função principal: Esse tipo de conteúdo é indicado para quem já conhece e se identifica com a sua marca, ou seja, ele busca entreter e estreitar a relação com essa audiência.
Formatos: Pode ocorrer em forma de webséries no próprio canal do YouTube, de opiniões de clientes, parcerias, entre outros.
Frequência: Segundo o especialista, o ideal é que esse tipo de material ocorra ao menos uma vez por semana.

03 CONTEÚDO ESTILO HERO

Definição do especialista: "É quando você tem um documentário ou um projeto sazonal com uma produção bem interessante, que possa chamar mais atenção das pessoas, gerando um pico tanto de engajamento quanto de audiência", afirma Kiso.
Local do funil: Topo
Função principal: Esse conteúdo tem o objetivo de inspirar a audiência, como se a marca fosse uma espécie de "herói" capaz de resolver os maiores conflitos em relação ao nicho. Afinal, só chega ao topo do funil aquele inscrito que procura por um material mais específico e, por isso, esse conteúdo carrega o potencial de convertê-lo em cliente.
Formatos: Pode ocorrer em forma de e-books, webinars, vídeos para datas específicas, entre outros.
Frequência: "O Hero não precisa ter uma frequência muito alta, mas uma qualidade do que se faz", garante Kiso.

NA PRÁTICA

CONTEÚDO SAZONAL

Assim como ocorre em negócios físicos e e-commerces, o YouTube pode se beneficiar significativamente de estratégias voltadas às datas comemorativas. Para isso, o Leonardo, do canal Minuto da Terra, sugere o uso de uma das ferramentas gratuitas do próprio aplicativo: a playlist. "Ela também aparece nos resultados da busca no YouTube. Então, em vez de surgir um vídeo que provavelmente a pessoa vai assistir e ir embora, existe a chance de a plataforma mostrar a sua playlist! Ela toca automático, um vídeo atrás do outro. Diria que já aumenta as suas chances de conversão", explica. Um exemplo é escolher datas ou eventos que mais se comunicam com a sua audiência e reunir conteúdos baseados no tema, como a prova do ENEM ou o dia das mães, feriado usado pelo próprio Leonardo no canal. Outra ideia é procurar pelos "VLOGMAS", estilo de vídeo que mostra o dia a dia do youtuber (VLOG), mas com foco na preparação para o Natal. Iniciada no exterior, a prática também se tornou comum entre os criadores brasileiros, visando o crescimento da interação com o público durante todo o mês de dezembro.

EXISTE MELHOR DIA E MELHOR HORÁRIO PARA POSTAR?

De acordo com artigo publicado pelo site Oberlo, existe sim um estudo sobre o assunto! Apesar de sugerir as ferramentas da própria rede social para rastrear as preferências do seu público – e, assim, planejar o horário e o dia da semana que mais atendem a sua audiência – a pesquisa realizada pela HowSociable em 2020 revela que o melhor horário de uploads na plataforma é durante a tarde, entre 14h e 16h. Isso acontece porque a maioria dos usuários assiste aos vídeos à noite, entre 19h e 22h, período em que o YouTube recebe maior tráfego. Assim, o seu vídeo estará pronto para ser indexado nesse período de exposição. Quanto aos

dias da semana, quinta e sexta-feira foram os melhores momentos apontados pelo estudo para lançar conteúdo no aplicativo. Já os dias de menos visualizações são segunda, terça e quarta-feira, quando grande parte das pessoas retorna ao trabalho e não costuma permanecer muito tempo na plataforma. É importante lembrar, porém, que os dados ajudam quem ainda não sabe as formas mais eficazes para postar no canal. Por isso, a dica é descobrir o que realmente funciona para os seus inscritos, testando diferentes horários e dias da semana, e, posteriormente, avaliando o desempenho de cada vídeo por meio das estatísticas do próprio YouTube.

*Fonte: https://www.oberlo.com/blog/best-time-post-social-media

FREQUÊNCIA IDEAL

Uma das maiores dúvidas do YouTube Creator iniciante é: de quanto em quanto tempo devo postar vídeo novo no canal? A verdade é que não existe uma regra, mas a especialista em vídeo marketing Francielle Mianes entregou o segredo! "No Instagram, falamos mais sobre frequência. Quanto mais você aparecer nos Stories, por exemplo, melhor. Já no YouTube, há a possibilidade de trabalhar com a estratégia da quantidade, mas também com a da qualidade. Eu gosto muito da segunda porque ela se preocupa bastante com a qualidade. Então, é mais válido postar um vídeo por semana, no qual você faz pesquisa e roteiro para a gravação, do que postar quatro vídeos só pela quantidade", orienta Fran.

TOP 10 FORMATOS DE CONTEÚDO

Destrave o seu conteúdo gastando pouco (ou nada!) com os formatos mais simples e populares do YouTube. Nós garantimos: você pode criá-los em casa!

FOTOS: REPRODUÇÃO DA INTERNET

Para se inspirar:
Do vulcão da feira de Ciências à máquina de algodão-doce caseiro, o Manual do Mundo é um dos maiores canais do Brasil sobre o tema, com mais de 16 milhões de inscritos!

▶ DO IT YOURSELF OU DIY

1. Se você tem talento para atividades ao estilo "faça você mesmo", preste atenção neste item! Afinal, os vídeos e canais de DIY vão muito bem no YouTube e abrangem diversos públicos, desde artesanato e moda até decoração e casa. Inclusive, foi durante a pandemia que temas relacionados à reforma do lar ganharam destaque, já que a maior parte das pessoas passou a fazer home-office e precisou economizar nas compras. Com isso, os vídeos DIY voltaram com tudo na plataforma!

Para se inspirar:
Expert em maquiagem artística, Letícia Gomes mantém um canal com vários tutoriais de beleza, ensinando desde preparação de pele até como usar o babyliss.

▶ TUTORIAL

2. Apesar de serem mais trabalhosos, já que o especialista precisa explicar o assunto de maneira simplificada e no formato passo a passo, os tutoriais são bastante populares na plataforma e funcionam para vários nichos, assim como o item anterior. Você pode encontrar desde "Automaquiagem para iniciantes" até "Como criar um site profissional" e, dependendo do nível de complexidade do assunto, a dica é dividir o vídeo em várias partes e formar uma playlist especial no seu canal!

NA PRÁTICA

RECEITA

Para se inspirar:
Depois de participar do MasterChef Brasil em 2014, Mohamad Hindi decidiu criar o próprio canal no YouTube, no qual compartilha a sua paixão pela gastronomia com mais de 2,5 milhões de inscritos!

3. Esse formato é perfeito para os amantes da culinária – e não precisa ser especialista em gastronomia! Basta ter vontade de se aventurar na cozinha e alguns pratos bem elogiados na manga. Na falta de ideias, também vale pegar receitas emprestadas, levando em consideração que quanto mais simples de serem replicadas, melhor para o seu público! As possibilidades são inúmeras!

REACTS

Para se inspirar:
Fundado em 2016 por Alice Aquino, o canal Ali e Aqui reúne mais de 400 mil inscritos, além de muitos vídeos de reactions das séries e filmes preferidos da criadora.

4. Ou "reações" em português, é uma forma dinâmica de fazer com que a audiência saiba mais sobre quem você é, do que gosta e se reage da mesma maneira aos produtos e conteúdos que eles também se identificam. Os canais de entretenimento usam esse formato para analisar trailers de filmes e séries. Atenção: para manter a espontaneidade que esse tipo de vídeo precisa, é essencial conservar a veracidade do momento. Não vale a pena enganar o público com reações ensaiadas.

UNBOXING

Para se inspirar:
Fundado em 2013, o canal da jornalista Karol Pinheiro coleciona vários vídeos ao estilo unboxing, mostrando desde brindes exclusivos da imprensa até maquiagens, roupas e perfumes.

5. Conhecido como os famosos recebidos dos youtubers! Não é necessário experimentar cada presente no momento da gravação, já que trabalha mais a expectativa da audiência. É algo bem simples de se fazer: basta mostrar os detalhes do pacote, como é aberto e, finalmente, o que tem dentro! Por exemplo, você pode gravar os recebidos que apenas um produtor de conteúdo do seu nicho recebe, perguntando se o público gostaria de ver um teste ou uma resenha do produto no próximo vídeo.

REVIEW

Para se inspirar:
Com quase 2 milhões de inscritos, o canal Escolha Segura nasceu da necessidade de trazer resenhas dos produtos mais comentados no mercado, além dos guias de compra.

6. Você já pesquisou no YouTube algum produto ou serviço antes de fechar negócio? Faça o mesmo pelos seus inscritos! Ao contrário dos itens anteriores, esse vídeo não exige reações simultâneas à gravação, mas uma avaliação mais técnica do material escolhido e, por isso, ele tende a ser mais longo. Aqui, é interessante trazer suas primeiras impressões, comparações de preço e de marcas.

Para se inspirar:
Criado em 2008, o canal do PH Santos é focado em resenhas dos lançamentos mais em alta do cinema e da TV.

RESENHA

7. Exemplo de vídeo mais longo e bastante utilizado pelos canais de entretenimento! Os criadores de conteúdo do nicho escolhem esse tipo de conteúdo para expressar opiniões sobre filmes, séries, livros e músicas. Você pode começar com uma avaliação dos pontos positivos e negativos do lançamento em questão, abrindo um debate entre os inscritos por meio dos comentários.

Para se inspirar:
Mesmo sendo um dos maiores youtubers do Brasil, Whindersson Nunes aderiu aos VLOGs em 2022.

VLOG

8. Esse estilo de conteúdo nada mais é do que gravar a rotina do youtuber! Ele pode acontecer uma vez, com foco em algum evento especial, ou formar uma série dentro do canal, como ocorre com os vídeos do "VEDA" (Video Every Day April), que devem ser postados todos os dias durante o mês de abril. Outro exemplo é usar datas comemorativas para aumentar o engajamento e a aproximação com o público, como é o caso dos "VLOGMAS", durante o mês de dezembro até o Natal.

Para se inspirar:
Além de ser especialista em séries de TV e de streaming, Michel Arouca, do canal Série Maníacos, sabe tudo sobre como fazer uma lista de sucesso no YouTube!

LISTA

9. Um dos formatos mais versáteis, fáceis e populares da rede social! O conteúdo funciona para qualquer nicho, além de você poder escolher o número que essa lista terá. Seja ela um TOP 3, TOP 5 ou TOP 7, é possível criar títulos como "Os 5 melhores filmes de 2022", "Os 3 livros que marcaram a minha adolescência" ou "Os 7 lançamentos mais comentados do mês".

Para se inspirar:
O vídeo mais popular de uma das maiores veteranas do YouTube é uma paródia? Kéfera Buchmann atingiu 48 milhões de visualizações em "BANG", música originalmente gravada por Anitta.

PARÓDIA

10. Se você gosta de humor, aposte nesse formato! Comece pela escolha da música que inspire a escrever uma versão cômica, sem deixar de pensar em referências que a audiência se identifique. Além de serem um meio descontraído de abordar assuntos que estão em alta, muitas paródias acabam viralizando por conta da originalidade e da capacidade de divertir o público. Porém, cuidado para não perder o timing para postar o vídeo e não deixar a brincadeira fugir do bom gosto.

TAGS

Segundo o Google, as tags são "palavras-chave descritivas que podem ser adicionadas aos vídeos para ajudar os espectadores a encontrar seu conteúdo". Afinal, o usuário tende a se basear em três fatores principais na hora de decidir qual material assistir: miniatura, título e descrição – em que a tag pode ser adicionada nos dois últimos, tanto durante o envio do vídeo quanto na gravação de um Short. Dessa maneira, o criador consegue promover o próprio conteúdo junto com outras produções que usam a mesma hashtag, possibilitando, também, que os espectadores encontrem o clipe por meio dela. Além disso, as tags são bastante úteis na hora de localizar o conteúdo quando as pessoas escrevem errado ao pesquisar no YouTube. Vale lembrar que as palavras-chave devem ser precedidas pelo símbolo "#". Confira o tutorial do uso da ferramenta a seguir!

COMO ADICIONAR TAGS

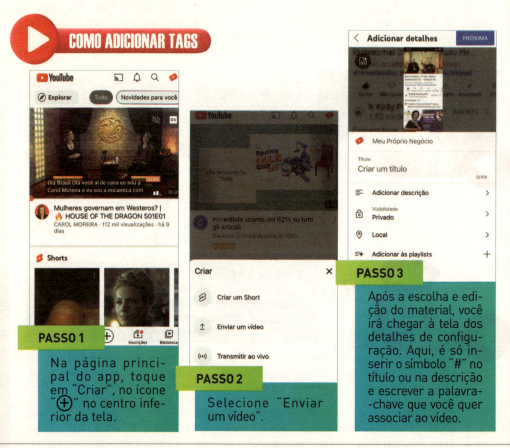

PASSO 1
Na página principal do app, toque em "Criar", no ícone "⊕" no centro inferior da tela.

PASSO 2
Selecione "Enviar um vídeo".

PASSO 3
Após a escolha e edição do material, você irá chegar à tela dos detalhes de configuração. Aqui, é só inserir o símbolo "#" no título ou na descrição e escrever a palavra-chave que você quer associar ao vídeo.

PASSO 4

Neste exemplo, enquanto se escreve "#podcast" no título, é possível ver recomendações de tags em alta do próprio YouTube. A dica é escolher as palavras-chave que mais se conectam com o vídeo e o seu conteúdo!

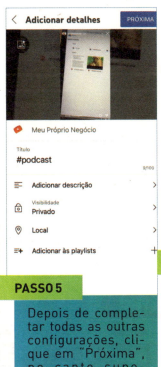

PASSO 5

Depois de completar todas as outras configurações, clique em "Próxima", no canto superior direito.

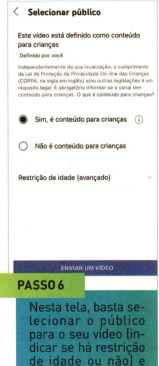

PASSO 6

Nesta tela, basta selecionar o público para o seu vídeo (indicar se há restrição de idade ou não) e concluir o upload, clicando em "Enviar um vídeo".

O QUE NÃO FAZER:

 Não use espaços. Segundo o próprio Google, duas palavras não devem ser separadas na mesma tag. Neste caso, basta juntá-las como no exemplo a seguir: #DuasIdeias #duasideias

 Não use muitas tags em um vídeo. Quanto mais tags você adicionar, menos relevantes elas serão para a pesquisa dos usuários. Se o vídeo apresentar mais de 60 palavras-chave, elas serão ignoradas! Além disso, o excesso de tags pode causar a remoção do vídeo da sua biblioteca ou do resultado das buscas

 Não poste conteúdo enganoso. Hashtags não relacionadas ao vídeo também podem resultar na remoção dele

 Não adicione palavras-chave com propósito de assédio, incitação ao ódio, conteúdo sexual e linguagem imprópria. Em todos os casos, o seu vídeo estará sujeito às políticas da comunidade do YouTube

NA PRÁTICA

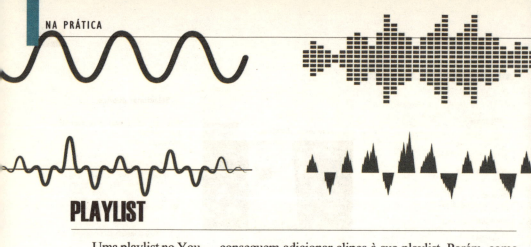

PLAYLIST

Uma playlist no YouTube nada mais é do que um conjunto de vídeos em forma de lista que pode ser separada por tema e reproduzida automaticamente. Além de todos os usuários da plataforma terem acesso à ferramenta, amigos conseguem adicionar clipes à sua playlist. Porém, como utilizá-la no seu negócio? "A playlist é um recurso pouco explorado, pelo que vejo. Às vezes, ela escapa das pessoas, sendo que é uma maneira de apresentar o conteúdo. Por exemplo, se quiser mostrar algo para uma empresa... Qual vídeo você acha que a pessoa vai assistir e já gostar? É difícil escolher um, né? Então, faça uma playlist, mesmo que curta, de cinco a sete vídeos", sugere Leonardo, do canal Minuto da Terra.

COMO CRIAR UMA PLAYLIST

PASSO 1
Você pode criar uma playlist na página de um vídeo ou na guia "Biblioteca", localizada no canto inferior direito.

PASSO 2
Escolhendo a guia "Biblioteca", procure pela seção "Playlists" e toque em "Nova playlist" (símbolo de "+").

PASSO 3
Para adicionar à playlist, selecione um ou mais vídeos do seu histórico de exibição.

30

PASSO 4

Para concluir, toque em "Próxima" no canto superior direito da página.

PASSO 5

Defina o título (máximo de 150 caracteres) e a configuração de privacidade da playlist (pública ou privada). Para concluir, toque em "Criar".

PASSO 6

Essa é a tela da playlist finalizada. É possível editar na hora em que você quiser e, ainda, há a opção de reproduzir em ordem aleatória.

DICA DE EXPERT:

"Uma vez, eu e meu irmão fomos a um podcast e fiz uma playlist especial para ser divulgada por lá. Porque, às vezes, alguém escuta o podcast, entra no canal e não sabe por onde começar. Então, eu posso direcionar a audiência dessa forma [...]E a playlist não dá tanto trabalho! Claro, você precisa selecionar o material, criar um título legal... Mas você já tem os vídeos feitos" – Leonardo, do canal Minuto da Terra.

NA PRÁTICA

HISTÓRIAS

Exclusivo para canais com mais de 10 mil inscritos. Quer saber como funciona para um criador de conteúdo? Descubra agora!

Segundo o Google, as Histórias são "vídeos curtos exclusivos para dispositivos móveis que expiram depois de sete dias". Assim como ocorre com os Stories do Instagram, a ferramenta geralmente é usada de forma mais pessoal, de onde você estiver. Com o objetivo de entregar conteúdos do dia a dia, esse tipo de vídeo aparece na página "Histórias" do canal e no feed de inscrições dos usuários que seguem a conta. Vale lembrar que o recurso está disponível na versão Beta para canais com mais de 10 mil inscritos e pode levar até sete dias para ser liberado depois que esse requisito é cumprido. Além disso, o criador não pode postar de uma conta supervisionada e nem ter o público classificado como conteúdo para crianças. Fica a dica!

▶ COMO CRIAR UMA HISTÓRIA

PASSO 1
Na página principal do app, toque em "Criar", no ícone "⊕" no centro inferior da tela.

PASSO 2
Escolha "Adicionar à sua história".

PASSO 3
Toque no botão de gravação no canto inferior da tela para tirar uma foto ou mantenha pressionado para gravar um vídeo.

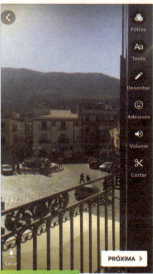

PASSO 4
Adicione efeitos como filtros, texto, desenhos e adesivos. Também é possível salvar a história. Basta escolher o ícone "↓" no canto inferior esquerdo da tela.

PASSO 5
No caso dos vídeos, você também pode ajustar o volume e cortar. Para continuar, clique em "Próxima" no canto inferior direito da tela.

PASSO 6
Toque no botão azul "Postar" para concluir o processo!

ESTRATÉGIAS PARA O SEU NEGÓCIO

1. USE DIFERENTES FORMATOS
De acordo com o Google, os criadores de conteúdo que mantêm as Histórias ativas comprovaram um aumento de 8,5% na taxa de inscrições semanais. Por isso, a recomendação é postar novos vídeos pelo menos a cada sete dias. Se você trabalha com moda, que tal mostrar a escolha do look de forma diária?

2. CRIE INTERAÇÕES COM A AUDIÊNCIA
Segundo o Google, as Histórias são uma "maneira criativa de falar diretamente com seus fãs e mobilizá-los para uma meta ou ação em comum". Para isso, a sugestão é fazer uma sessão de perguntas e respostas, enquetes, ou ainda pedir ideias de tema para os próximos vídeos.

3. APOSTE NOS BASTIDORES
A História é ideal para vídeos ao estilo "por trás das câmeras". Sendo assim, que tal mostrar os processos responsáveis pelo sucesso do seu negócio? Se você trabalha com restaurantes, por exemplo, aumente a conexão com os clientes ao revelar a montagem do prato mais pedido da casa.

NA PRÁTICA

SHORTS

Lançada em junho de 2021, a ferramenta é uma das mais recentes apostas do YouTube. De acordo com o próprio Google, a ideia é facilitar a gravação de vídeos verticais de até 60 segundos, nos quais o criador consegue adicionar músicas, texto e registrar vários segmentos. Tudo isso sem a complexidade da edição dos vídeos longos mais característicos da plataforma. "Peguei os Shorts desde o início e eles aumentaram bastante o número de inscritos e de visualizações do canal [...] Há a questão de o YouTube impulsionar e querer que a novidade dê certo, assim como aconteceu com o Reels e o TikTok", explica Leonardo, do Minuto da Terra. Confira a seguir o tutorial da ferramenta!

COMO GRAVAR UM SHORT

PASSO 1
Na página principal do app, toque em "Criar", no ícone ⊕ no centro inferior da tela.

PASSO 2
Clique em "Criar um Short".

PASSO 3
Para criar um Short com mais de 15 segundos, toque em "15" acima do botão vermelho de gravação. Os Shorts criados com músicas da biblioteca ou áudios de outros vídeos podem ter só 15 segundos de duração.

PASSO 4
Mantenha o botão de gravação pressionado ou toque nele para começar a gravar. A tela ficará como na imagem. Se quiser parar a gravação, basta soltar o botão ou tocá-lo novamente.

PASSO 5
Toque em "↶" na parte superior da tela para remover o último segmento gravado ou em "↷" para adicionar novamente o trecho removido. Toque em "✓" para concluir e editar o vídeo.

PASSO 6
Na edição, você pode tocar em "<" no canto superior esquerdo para retornar à tela de gravação. Clique em "Próxima" para adicionar os detalhes do conteúdo.

PASSO 7
Aqui, adicione o título (máximo de 100 caracteres) e defina as configurações, como privacidade do vídeo e a escolha do público (se é ou não para crianças). Selecione "Enviar Short" para publicar o seu conteúdo!

DICA DE EXPERT:

"Comece falando sobre o tema do vídeo ou pergunte algo para o público. O feed dos Shorts é igual ao feed do TikTok ou Reels, é muito fácil de pular. Deu três segundos e já passaram pra frente. Não adianta começar com 'Oi, eu sou o Leonardo, do Minuto da Terra...' Comece com 'Hoje, vamos falar sobre...' ou 'Você sabia que...'" – Leonardo, do canal Minuto da Terra.

NA PRÁTICA

COMUNIDADE

Exclusivo para canais com mais de 500 inscritos. Saiba agora como funciona para um criador de conteúdo!

Além de melhorar o alcance do conteúdo no YouTube, a aba "Comunidade" ajuda na aproximação com a audiência, como garante Leonardo, do Minuto da Terra. Afinal, o especialista descobriu o horário ideal de uploads para o próprio canal após fazer uma enquete dentro dessa guia! "Eu postava toda quarta-feira, entre 11h e 12h, mas mudei para sábado às 11h e tem sido melhor. Perguntei na comunidade se eles gostaram desse horário e muitas pessoas disseram que sim. Consigo criar quiz, postar fotos... Uso bastante a ferramenta para me comunicar com os inscritos, o retorno é bem legal", revela o expert. Confira a seguir o tutorial de como mexer nesse recurso.

COMO CRIAR POSTAGEM NA COMUNIDADE

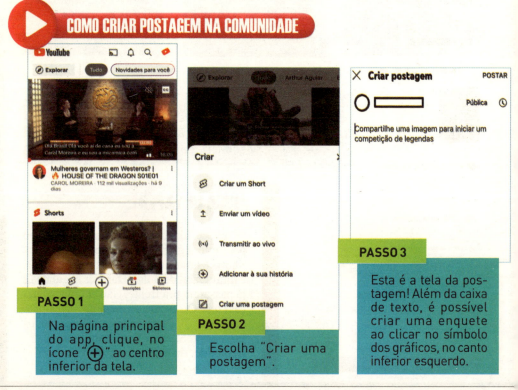

PASSO 1
Na página principal do app, clique, no ícone "+" ao centro inferior da tela.

PASSO 2
Escolha "Criar uma postagem".

PASSO 3
Esta é a tela da postagem! Além da caixa de texto, é possível criar uma enquete ao clicar no símbolo dos gráficos, no canto inferior esquerdo.

PASSO 4

Aqui, você pode escrever a pergunta que desejar e até cinco alternativas. Para isso, basta clicar em "Adicionar outra opção", no canto inferior da tela. Para concluir, toque em "Postar" no canto superior direito.

PASSO 5

Para selecionar até cinco imagens do seu celular, volte ao Passo 3 e toque no segundo símbolo do canto inferior direito. A tela ficará assim. Para concluir, toque em "Postar" no canto superior direito.

PASSO 6

Ainda é possível programar a publicação, voltando à tela do Passo 3. Basta clicar no ícone do relógio, no canto superior direito. Escolha data, horário, fuso e toque em "Concluído".

TIPOS DE POSTAGEM PARA UM NEGÓCIO

POSTAGENS COM TEXTO
Insira sua mensagem na caixa de texto localizada na aba "Comunidade". Você ainda pode adicionar vídeo, imagem ou GIF a ele.

POSTAGENS COM PLAYLIST
Você também pode publicar as suas playlists favoritas! Basta copiar e colar o endereço da playlist na sua postagem.

POSTAGENS COM IMAGENS E GIFS
Se você quiser enviar uma imagem, selecione uma foto ou um GIF animado do seu smartphone, respeitando as diretrizes da plataforma, como o tamanho de até 16 MB.

POSTAGENS COM VÍDEO
Em dispositivos móveis, também é possível compartilhar vídeos diretamente na guia "Comunidade".

PESQUISAS
"Gosto de reviver vídeos antigos do canal, criando enquetes com questões relacionadas ao conteúdo. Faço o quiz, coloco alguma curiosidade e o link para o vídeo. Gera uma interação muito boa!", garante Leonardo.

NA PRÁTICA

LIVES

Live significa transmissão ao vivo em inglês e permite a interação entre o criador de conteúdo e o público em tempo real. No caso do YouTube, ainda é possível usar ferramentas como o "Chat", no qual os usuários conseguem mandar mensagens e conversar entre eles durante o evento. Porém, fique atento: o recurso está disponível por smartphones apenas para canais com mais de 50 inscritos e, no caso de menores de 17 anos que tenham alcançado a idade de consentimento, o limite sobe para 1 mil inscritos. Além disso, há três tipos de transmissão: com um dispositivo móvel, com webcam e com um codificador. Veja a seguir o tutorial como fazer com um dispositivo móvel.

▶ COMO ATIVAR A LIVE

PASSO 1
Rolando a tela até o final, toque em "Criar", no ícone "⊕" no centro inferior da tela.

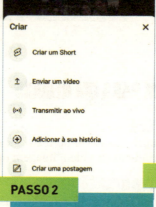

PASSO 2
Escolha "Transmitir ao vivo".

PASSO 3
Essa será a tela de configurações da Live. Escreva um título para a transmissão. Depois, toque em "Público".

PASSO 4

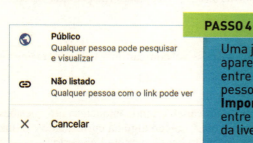

Uma janela como a da imagem ao lado irá aparecer no canto inferior da tela. Escolha entre "Público" e "Não listado" (apenas pessoas com o link podem assistir a live). **Importante:** Para usuários com idades entre 13 e 17 anos, a configuração padrão da live de dispositivo móvel é "Não listado".

PASSO 5

Clicando em "Local" na tela do Passo 3, uma imagem como a acima irá aparecer. Escreva de qual lugar você pretende transmitir a live na caixa de texto.

PASSO 6

Agora é o momento de selecionar o público. Escolha entre "Sim, é conteúdo para crianças" ou "Não, não é conteúdo para crianças".

PASSO 7

Ainda é possível restringir a transmissão apenas para o público adulto.

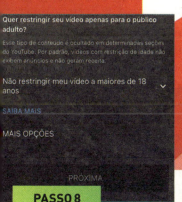

PASSO 8

Rolando a tela até o final, clique em "Mais opções" para programar uma transmissão ou "Próxima" para continuar.

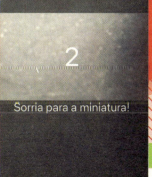

PASSO 9

Uma foto será tirada automaticamente para servir como imagem da miniatura da Live.

PASSO 10

10. Na tela final, você pode ver a data e o horário do início da live, além de quantas pessoas esperam pela transmissão. Para começar, basta clicar em "Transmitir ao vivo".

MONETIZANDO
seu canal

POR CAROLINA SALOMÃO | IMAGENS: SHUTTERSTOCK

VOCÊ JÁ SABE QUE É POSSÍVEL CRIAR UMA FONTE DE RENDA COM O YOUTUBE. NO ENTANTO, COMO COMEÇAR A TRANSFORMAR OS SEUS LIKES EM DINHEIRO? DESCUBRA AS DIFERENTES FORMAS DE LUCRAR COM UM CANAL!

Você está perdendo clientes e nós podemos provar! Afinal, à medida que o YouTube cresce, novas maneiras de ganhar dinheiro com o aplicativo surgem. Pensou que a única forma de conquistar essa meta fosse com a monetização dos vídeos? Pois saiba que, segundo a especialista em YouTube marketing Francielle Mianes, essa deveria ser uma das fontes de renda de um expert da plataforma. "Em um primeiro momento, vamos olhar para o seu negócio como um todo. Se você vende produtos ou oferece algum serviço, você consegue duplicar e, às vezes, triplicar o seu valor de mercado! Afinal, é possível ser visto como autoridade no assunto, aumentando o valor do seu trabalho", explica Francielle. Além de transformar o canal em uma vitrine ativa do seu conteúdo, é importante estar atento às atualizações no Programa de Parcerias e ao uso das ferramentas do próprio YouTube, como os Super Chats. Existe, ainda, a oportunidade de entrar para o Marketing de Afiliados! Ficou em dúvida sobre algum desses itens? Calma! Neste capítulo, você vai aprender o significado de cada um desses termos, ter acesso a tutoriais superfáceis de serem seguidos, além de descobrir algumas das curiosidades mais pesquisadas sobre o app, como quanto os maiores youtubers do mundo faturam hoje em dia e qual é a melhor maneira de começar a trilhar esse caminho. Nunca mais deixe de ganhar dinheiro por não saber monetizar seu canal!

CAPÍTULO 3

PROGRAMA DE PARCERIAS DO YOUTUBE (YPP)

É por meio do Programa de Parcerias do YouTube que os criadores de conteúdo começam a monetizar os vídeos postados na plataforma. Por isso, essa é uma das principais formas de gerar renda com o aplicativo, já que sem se inscrever no programa o youtuber não poderá usufruir de recursos exclusivos do YPP, como equipes de suporte ao criador de conteúdo e participação na receita dos anúncios veiculados ao canal. Para conseguir se candidatar, porém, você precisa atingir o mínimo de 1 mil inscritos e 4 mil horas de visualizações válidas nos últimos 12 meses. Além disso, é necessário ter uma conta do Google AdSense para receber os futuros pagamentos e nenhum aviso ativo das diretrizes da comunidade. Quer aprender os primeiros passos para se registrar ao programa? Para isso e outras funções que estudaremos neste guia, existe uma ferramenta do próprio YouTube chamada YouTube Studio! Ela pode ser acessada por um dispositivo móvel, mas para uma experiência completa, a dica é fazer o login por um desktop. Confira a seguir o passo a passo:

COMO ACESSAR A GUIA MONETIZAÇÃO

PASSO 1

No seu computador, acesse https://studio.youtube.com/ e faça o login com a conta do YouTube desejada.

PASSO 2

Essa é a tela do YouTube Studio, desenvolvido para facilitar o uso de todas as ferramentas do canal. Role a barra do Menu no canto esquerdo da tela até encontrar "Monetização". Clique nesta opção.

PASSO 3

Enquanto o número mínimo de inscritos e exibição não chega, a dica é ativar a verificação em duas etapas e clicar em "Enviar notificação quando eu me qualificar".

PASSO 4

Pronto! Depois que a mensagem "Enviaremos um e-mail quando você se qualificar para a inscrição" aparecer, é só continuar trabalhando e torcendo!

CURIOSIDADE

O tempo de avaliação para o Programa de Parcerias do YouTube acontece cerca de um mês após você alcançar os limites mínimos!

ANÚNCIOS

Depois de ser aceito no Programa de Parcerias do YouTube, a monetização do seu canal será ativada e vários formatos de anúncio poderão ser veiculados durante a exibição dos vídeos ou ao lado deles. "No Youtube, trabalhamos com custo por mil. Ou seja, a cada mil visualizações, você recebe um valor. E, claro, quanto mais visualizações, mais você ganha do YouTube, porque mais anúncios serão rodados", explica Francielle Mianes. O valor pago pelo "Custo Por Mil" ou CPM pode variar. Vale lembrar que pelo YouTube Studio você ainda consegue definir alguns detalhes, como, por exemplo, se os anúncios serão mostrados antes, durante ou depois do seu conteúdo. Confira os tipos de anúncio presentes atualmente no YouTube Brasil:

COMO MONETIZAR SEU CANAL NO YOUTUBE?

ANÚNCIO EM VÍDEOS PULÁVEIS

Nesse tipo de anúncio, os usuários podem fechar a publicidade depois de 5 segundos. Basta clicar no botão "Pular anúncio", que aparece logo após o tempo estipulado. Eles são exibidos no player de vídeo, tanto em computadores quanto em dispositivos móveis, TV e consoles de jogos.

ANÚNCIO EM VÍDEOS NÃO PULÁVEIS

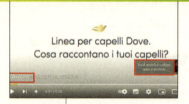

Ao contrário do item anterior, o espectador precisa assistir a esse anúncio – com duração de 15 ou 20 segundos, dependendo da região – para que o vídeo seja exibido. Eles são veiculados no player de vídeo, tanto em computadores quanto dispositivos móveis, TV e consoles de jogos.

ANÚNCIOS BUMPER

São anúncios em vídeo curtos e não puláveis de até 6 segundos. Ou seja, o usuário precisa assistir a essa publicidade até o fim para que o vídeo desejado seja exibido. Esses anúncios são ativados quando os tipos de publicidade acima estão disponíveis. Eles também são veiculados no player de vídeo, tanto em computadores quanto dispositivos móveis, TV e consoles de jogos.

ANÚNCIOS OVERLAY

Segundo o Google, os anúncios overlay de imagem ou texto podem ser exibidos nos 20% da parte inferior de um vídeo, como na imagem tirada durante exibição do canal Diva Depressão. Ao contrário dos outros itens, eles aparecem apenas no acesso ao YouTube por um computador.

ANÚNCIOS FORA DO PLAYER DE VÍDEO

Esse tipo de anúncio aparece no feed de exibição, tanto no de vídeos recomendados abaixo do player nos dispositivos móveis quanto ao lado dele nos computadores (imagem). Todavia, eles não podem ser controlados pelo YouTube Studio.

ANÚNCIOS EM SEQUÊNCIA

Nesse formato, dois anúncios são exibidos em sequência, sendo separados por "Anúncio 1 de 2" e "Anúncio 2 de 2", como na imagem ao lado. Isso acontece quando a publicidade pulável e não pulável está ativada no vídeo. Porém, vale lembrar que o conjunto é exibido em conteúdos de 5 minutos ou mais. Segundo o Google, a prática existe para diminuir as interrupções em vídeos maiores, melhorando a experiência de visualização.

CURIOSIDADE

Fique atento à produção de vídeos muito curtos. Afinal, os anúncios têm uma chance menor de aparecer neles. De acordo com o Google, a prática existe para "melhorar o envolvimento dos espectadores e a receita gerada durante uma sessão de visualização no YouTube".

YOUTUBE PREMIUM

Por outro lado, existe uma maneira de ter a experiência do usuário livre de anúncios – sem que o rendimento dos criadores seja prejudicado. Esse formato veio com a criação do YouTube Premium, assinatura mensal que permite assistir a vídeos do YouTube sem interrupções e no modo off-line, além de incluir o acesso ao YouTube Music. Os custos variam entre os planos individual e família, que suporta até cinco membros de uma mesma casa. Já para quem produz conteúdo na plataforma, a ferramenta traz ainda mais vantagens, como, por exemplo, uma nova fonte de renda que complementa os lucros oriundos dos anúncios. Afinal, o valor mensal pago pelos assinantes é dividido entre o YouTube e os criadores, de acordo com o tempo de exibição dos vídeos. Ou seja, quanto mais tempo os assinantes assistirem aos materiais do seu canal, mais dinheiro você irá receber pelo Premium. Todo mundo ganha!

CURIOSIDADE

Se você pretende começar um canal no Youtube, certamente já duvidou da possibilidade de ganhar dinheiro com o aplicativo e pensou sobre qual seria o "salário" de criadores famosos. É difícil mensurar todas as formas de monetização, mas podemos calcular uma estimativa do "Custo Por Mil" com base no número de inscrições e de visualizações mensais de um canal. Para matar a curiosidade, trouxemos uma lista publicada pelo site da Samba Tech em 2021, que traz alguns dos nomes mais populares do País. Confira!

*Valores de fevereiro de 2022

COMO MONETIZAR SEU CANAL NO YOUTUBE?

Com 35 milhões de inscritos em 2021, Felipe Neto já acumulava uma média de 209,6 milhões de visualizações por mês, garantindo um salário mensal estimado entre 52 mil e 838 mil dólares!

FELIPE NETO

Na época da pesquisa, com 37 milhões de inscritos, Whindersson Nunes já reunia uma média de 68,3 milhões de visualizações por mês e um ganho mensal estimado entre 11 mil e 189 mil dólares.

WHINDERSSON NUNES

Em 2021, com 1,6 milhão de inscritos, Bruna Tavares, do canal Pausa para feminices, reunia uma média de 1,8 milhões de visualizações por mês e um ganho mensal estimado entre 362 e 5.800 mil dólares.

BRUNA TAVARES

Quando tinha 437 mil inscritos, Julia Petit do canal Petiscos TV acumulava uma média de 159 mil visualizações por mês e um ganho mensal estimado entre 55 e 876 dólares.

JULIA PETIT

SUPER CHATS E SUPER STICKERS

Se o seu canal foi aceito no Programa de Parcerias do YouTube, já é possível ativar esses recursos. Com o Super Chat, os espectadores podem comprar mensagens que se destacam no chat ao vivo e, em alguns casos, fixá-las no topo do feed. Assim, os fãs mais fiéis do conteúdo conseguem ter uma pergunta ou texto visualizados pelo streamer, enquanto apoiam financeiramente o canal. Já os Super Stickers são imagens animadas ou digitais que também ganham espaço especial no chat da live. Ficou curioso para saber como os Supers funcionam? Confira o tutorial a seguir.

COMO UM SUPER FUNCIONA

Meu Próprio Negócio
Diga algo...

0/200

OCULTAR CHAT

PASSO 1

No canto inferior esquerdo da janelinha do chat ao vivo, clique no símbolo da nota de dinheiro.

Super Sticker
Envie uma imagem GIF

Super Chat
Envie uma mensagem em destaque

✕ Fechar

OCULTAR CHAT

PASSO 2

Escolha entre Super Sticker e Super Chat.

€ 0,99 · € 1,49 · € 1,99 · € 2,00 · € 4,00

€ 5,00 · € 10,00 · € 20,00 · € 50,00

PASSO 3

Clicando na primeira opção, várias figurinhas com diferentes valores vão aparecer na tela, de acordo com a moeda local. No exemplo ao lado, está em Euro.

PASSO 4

Clicando na segunda opção, uma caixa de texto irá aparecer na tela, junto com os detalhes do Super Chat, como, por exemplo, a barra para regular o valor desejado e o tempo de destaque que cada um oferece. Para concluir, toque em "Comprar e enviar".

*Valores de fevereiro de 2022

COMO MONETIZAR SEU CANAL NO YOUTUBE?

NA PRÁTICA

Durante as lives, Felipe e Eduardo do canal Diva Depressão costumam ler alguns Super Chats enviados pelos espectadores.

Tanto os Super Chats quanto os Super Stickers aparecem como mensagens coloridas no feed do chat ao vivo (imagem acima). Quando o usuário faz a compra, a foto do perfil dele "pula" para a parte superior, ao lado das outras pessoas que também adquiriram o recurso. Segundo o Google, o tempo do destaque depende do valor da compra. Ou seja, quanto mais o usuário gastar, mais tempo os Super Chats e os Super Stickers ficarão no topo do feed! Além disso, os valores pagos são públicos e variam.

CONTEÚDO PATROCINADO

Outra forma de monetizar o seu canal no YouTube é por meio de parcerias com marcas. Basicamente, você irá usar o espaço do canal e a sua influência na internet para criar a publicidade do cliente em um dos seus vídeos. Por isso, a maior vantagem do conteúdo patrocinado está na possibilidade de negociação direta com as empresas, tanto sobre valores quanto em relação ao roteiro do material. Inclusive, já existem empresas especializadas em conectar os criadores com as marcas dispostas a fechar esse modelo de negócio. Porém, em muitos casos, o YouTube exige para ser informado sobre a parceria e o criador precisa colocar um aviso no vídeo em questão. Quer aprender a usar a ferramenta? Confira o tutorial a seguir.

COMO INFORMAR PRODUTOS PAGOS

PASSO 1

No seu computador, acesse https://studio.youtube.com/ e faça o login com a conta do YouTube desejada.

PASSO 2

Esta é a tela do painel principal do YouTube Studio. Procure por "Conteúdo" no menu à esquerda e selecione-o.

PASSO 3

Nesta etapa, selecione o vídeo no qual você pretende colocar o aviso. Em seguida, clique no ícone de lápis ("Detalhes") para editar o material.

PASSO 4

Role a tela para baixo até chegar em "Mostrar mais - Promoção paga, tags, legendas e mais". Clique nesta opção.

PASSO 5

O primeiro tópico será sobre promoção paga. Clique na caixa "Meu vídeo contém promoção paga, como a inserção, o patrocínio ou o endosso de produtos". Clique em "Salvar" no canto superior direito.

NA PRÁTICA

No "VLOG: Gatinhos fofos, Surtos e Festa da Dia Estúdio - Lorelay Fox" do canal Lorelay Fox, é possível ver o aviso "Contém promoção paga" no canto superior esquerdo.

Outra mensagem que pode surgir é "Este canal recebeu dinheiro ou itens grátis para fazer este vídeo", também no canto superior esquerdo da tela.

COMO MONETIZAR SEU CANAL NO YOUTUBE?

CLUBES DOS CANAIS

O *Channel Membership*, ou Clubes dos Canais, veio como forma de oferecer benefícios exclusivos aos usuários que pagarem quantias mensais para o canal. O valor e a quantidade de vantagens são definidos pelo próprio criador de conteúdo na página do YouTube Studio. Para ativar esse recurso, é preciso cumprir alguns requisitos mínimos, como ter mais de 18 anos, fazer parte do Programa de Parcerias do YouTube, ultrapassar os 1 mil inscritos, apresentar a guia "Comunidade" e não ter um número significativo de vídeos não elegíveis, como, por exemplo, muitos materiais marcados para crianças ou com reivindicações de música. Já as vantagens são divididas em níveis, sendo que cada youtuber pode adicionar até cinco níveis a preços diferentes e cada nível deve conter entre um e cinco benefícios. Alguns deles são:

- Publicações na guia "Comunidade" apenas para membros do canal
- Vídeos e lives exclusivos
- Chat exclusivo mesmo em lives públicas
- Mensagens em destaque durante os chats
- Emblemas e emojis personalizados nos chats, mensagens e na guia "Comunidade".

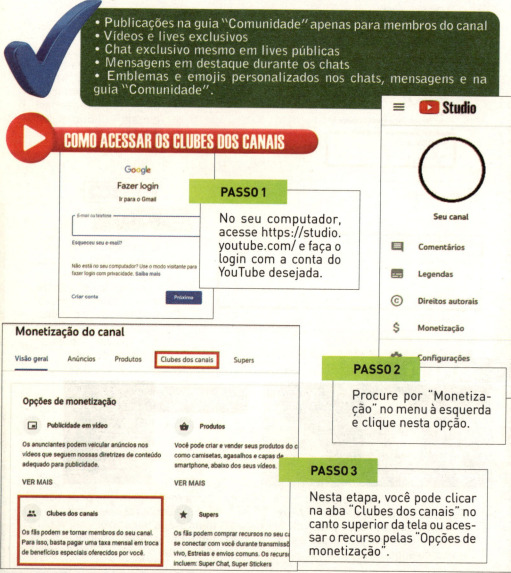

COMO ACESSAR OS CLUBES DOS CANAIS

PASSO 1
No seu computador, acesse https://studio.youtube.com/ e faça o login com a conta do YouTube desejada.

PASSO 2
Procure por "Monetização" no menu à esquerda e clique nesta opção.

PASSO 3
Nesta etapa, você pode clicar na aba "Clubes dos canais" no canto superior da tela ou acessar o recurso pelas "Opções de monetização".

| Visão geral | Anúncios | Produtos | **Clubes dos canais** | Supers |

Nossos dados sugerem que serão necessários promoções e benefícios significativos para converter seus espectadores em membros

% das suas visualizações vêm de inscritos
Embora canais com esses números possam ter sucesso no YouTube, as assinaturas costumam alcançar um bom resultado quando, pelo menos, 25% das visualizações de um canal vêm de inscritos. Ver dados

Próximas etapas recomendadas
Pergunte aos espectadores sobre assinaturas e que tipo de benefícios os interessariam. Personalize sua oferta usando esse feedback. Busque mais dicas nessa guia durante o processo.

| Visão geral | Anúncios | Produtos | **Clubes dos canais** | Supers |

Não iniciada
Configurar sua oferta da assinatura

É possível criar um único nível de assinatura ou oferecer vários níveis e preços. Divirta-se criando benefícios para recompensar os membros de cada nível.

INICIAR

Não iniciada
Faça o upload de selos e emojis

O objetivo dos Clubes dos canais é a interação mais pessoal. Envie selo e emojis exclusivos para membros e ajude seus maiores fãs a se destacarem nos comentários e no chat ao vivo.

INICIAR

PASSO 4

Esta é a tela do recurso, em que você pode encontrar dicas do próprio YouTube e ativar os benefícios desejados.

| Visão geral | Anúncios | Produtos | **Clubes dos canais** | Supers |

Não iniciada
Anuncie os Clubes dos canais

Seus espectadores vão querer saber o que são os Clubes dos canais e o que você está oferecendo. Veja nossas sugestões sobre como promover suas assinaturas.

INICIAR

Não iniciada
faça uma postagem para receber os novos membros

Crie algumas postagens exclusivas para receber os membros, seus maiores fãs. Postar regularmente na guia "Comunidade" é uma ótima maneira de fazer os espectadores

PASSO 5

Pronto! Ao rolar a tela, é possível encontrar essas opções. Para escolher uma ou mais delas, basta clicar em "Iniciar" e seguir as orientações de cada ferramenta.

IMPORTANTE

O YouTube não se responsabiliza pelos benefícios prometidos pelo criador. Por isso, a dica é ponderar cuidadosamente se você poderá oferecer todas as vantagens que forem selecionadas nos Clubes dos Canais.

PRODUTOS DO CANAL

Já pensou em ter uma estante de produtos oficiais do canal e exibi-los no YouTube? Chique, né? Pois saiba que essa ideia é possível pelo próprio YouTube Studio! Segundo o Google, caso você esteja qualificado, a prateleira vai aparecer na página de exibição dos vídeos. Para isso, o canal não pode ter nenhum aviso das diretrizes da comunidade por discurso de ódio e nem reunir um número significativo de vídeos que violam as políticas da plataforma. Além disso, ele precisa ter a monetização aprovada, o público não pode estar definido como "Conteúdo para crianças" e nem atingir um número considerável de vídeos para esse público e, se for um canal de música, precisa ser o oficial do artista. Caso contrário, ele precisa ter mais de 10 mil inscritos. Confira a seguir o passo a passo para acessar a ferramenta!

COMO ATIVAR A ESTANTE DE PRODUTOS

PASSO 1
No seu computador, acesse https://studio.youtube.com/ e faça o login com a conta do YouTube desejada.

PASSO 2
Procure por "Monetização" no menu à esquerda e clique nesta opção.

PASSO 3
Nesta etapa, você pode clicar na aba "Produtos" no canto superior da tela ou acessar o recurso pelas "Opções de monetização".

PASSO 4

Role a barra da tela até "Vamos lá". Clique nesta opção para vincular a loja oficial e ativar a estante de produtos no canal e nos vídeos.

PASSO 5

A lista com as plataformas e varejistas aceitos irá aparecer na tela como na imagem. Basta selecionar a opção desejada e clicar em "Continuar".

PASSO 6

Leia os termos propostos e selecione a última caixa para concordar com todos eles. Para conectar as plataformas, clique em "Aceitar".

PASSO 7

A etapa no YouTube foi concluída! Agora, você deve continuar a configuração no site da loja escolhida. Para isso, basta clicar em "Acessar" ao lado do nome da empresa e seguir as instruções da nova página.

MARKETING DE AFILIADOS

Atenção, iniciantes! Como o Marketing de Afiliados não está ligado à aprovação no Programa de Parcerias do YouTube, o formato é ideal para começar a monetizar os vídeos antes de atingir o mínimo de inscritos e de visualizações requisitados pela plataforma. Por isso, essa é a principal indicação da especialista em vídeo marketing Francielle Mianes. "Eu sempre recomendo os links de afiliados para quem tem poucos inscritos. Por exemplo, eles podem ser de empresas de comércio eletrônico, já que você consegue sugerir livros e uma infinidade de outros produtos. Assim, você ganha uma comissão para cada pessoa que comprar pelo seu link, sem que ela pague algo a mais por isso", explica Fran. Ela ainda garante que não é preciso ter o próprio curso on-line para ganhar dinheiro em sites que hospedam esses infoprodutos – tudo graças aos afiliados. "Você pode recomendar cursos de plataformas de ensino on-line e, ainda, ganhar uma porcentagem!", conclui a expert. Porém, vale lembrar que todos os links devem estar de acordo com as regras da comunidade do YouTube.

NA PRÁTICA

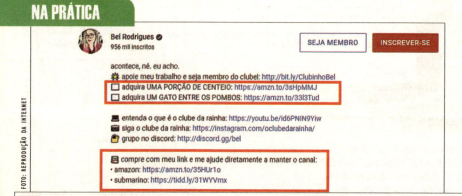

Canais de booktubers, como o da Bel Rodrigues, são ótimos exemplos para entender o Marketing de Afiliados. Na descrição do vídeo "chorei lendo agatha christie", é possível encontrar os links que levam para a compra dos dois livros analisados na gravação, além dos que trazem os sites de comércios eletrônicos. Assim, em qualquer compra realizada por essas URLs, ela receberá uma comissão.

DICA DE EXPERT:

Mais um motivo para apostar nos links afiliados é a possibilidade de criar uma fonte de renda independente da monetização dos vídeos em si. Afinal, seguindo a regra do "Custo Por Mil", são necessárias muitas visualizações para conseguir transformá-las em uma receita expressiva. Por isso, Francielle recomenda pensar em outras formas de ganhar dinheiro com o canal. "Você deve pensar na monetização do YouTube apenas como parte dos rendimentos. Ela precisa ser 25% para menos da sua renda principal. Então, você deve se perguntar quais são as outras formas de monetizar aquele conteúdo", orienta Fran.

FOTO: DIVULGAÇÃO/ MEL PACHECO

BÔNUS: FUNDO DE RECOMPENSA DOS SHORTS

Pensou que tinha acabado? Pois saiba que agora é possível lucrar com os Shorts! Recentemente, o YouTube decidiu recompensar a produção dos vídeos curtos originais com uma iniciativa que irá distribuir 100 milhões de dólares entre os criadores de conteúdo! A ideia é que a cada mês a plataforma entre em contato com milhares de canais para informar sobre o recebimento do fundo, que vai de 100 a 10 mil dólares por mês, dependendo do local dos espectadores e do desempenho dos clipes. Ou seja, não há critérios específicos para se qualificar ao bônus, que varia entre os criadores. Porém, como saber se o seu canal tem direito ao fundo? Se tiver, o Google garante que os criadores de Shorts vão receber um aviso por e-mail e uma notificação pelo aplicativo do YouTube, com as orientações sobre o resgate do valor. Já pensou receber essa mensagem depois da primeira semana do mês? No entanto, vale lembrar: o bônus pode expirar e permanece disponível até certo dia de cada mês. Quanto ao pagamento, ele também ocorre por meio de uma conta aprovada e ativa do Google AdSense, junto com os outros ganhos mensais da plataforma. Como a ferramenta ainda está em fase de testes, alguns youtubers que não se qualificavam antes, agora podem receber até 100 dólares, enquanto os outros podem começar a ganhar acima do valor máximo de 10 mil dólares.

IMPORTANTE

Até o fechamento desta edição, não era preciso gerar receita no YouTube para ser qualificado ao bônus. No entanto, condições e valores podem ser alterados a qualquer momento.

ESTATÍSTICAS

SALA DE
controle

POR CAROLINA SALOMÃO | IMAGENS: SHUTTERSTOCK

DEPOIS DE ESTUDAR SOBRE MONETIZAÇÃO NO YOUTUBE,
CHEGOU A HORA DE USAR AS FERRAMENTAS QUE MEDEM
O DESEMPENHO DE CADA VÍDEO, ALÉM DE CONHECER
OS PRINCIPAIS DADOS DO SEU PÚBLICO-ALVO –
E SEM PAGAR NADA POR ISSO!

Se antes era necessário recorrer aos aplicativos específicos de análise de métricas, hoje é possível ter acesso a grande parte do desempenho do seu conteúdo dentro do próprio YouTube! Também conhecidas como YouTube Analytics, as Estatísticas são mais um recurso gratuito e pensado pela plataforma para se firmar como uma das gigantes no mercado de negócios digitais. Basicamente, ela consegue acompanhar os resultados do canal e de cada vídeo publicado. Apesar de a palavra "métrica" assustar as pessoas que não estão acostumadas com esse universo, muitos iniciantes se adaptam rápido à ferramenta, assim como ocorre com a aba da Monetização, já que os analytics são bastante intuitivos e práticos de serem usados. Porém, qual

é a importância de acompanhar cada um deles? É por meio das métricas que você terá acesso aos dados gerais da sua audiência, como, por exemplo, a faixa etária que mais acompanha o seu conteúdo, de quais lugares as pessoas visitam o seu canal, em que ponto do vídeo os espectadores param de assistir, além de outras informações essenciais para começar a traçar a sua estratégia de crescimento e vendas. Para analisar todo esse processo, vamos mostrar como é o acesso de um canal que já existe*. Então, se você sempre quis saber como os dados da rede aparecem para um criador com cinco dígitos de inscritos, chegou a sua chance. Confira o quadro a quadro das estatísticas mais importantes do YouTube!

*As imagens foram alteradas para preservar a identidade do criador que cedeu os dados da análise.

CAPÍTULO 4

ESTATÍSTICAS

COMO ACESSAR A GUIA ESTATÍSTICAS

PASSO 1

No seu computador, acesse https://studio.youtube.com/ e faça login com a conta do canal desejado.

PASSO 2

Essa é a tela principal do YouTube Studio. Role a barra do Menu no canto esquerdo até encontrar "Estatísticas". Pronto! A próxima página irá trazer os dados da "Visão Geral".

VISÃO GERAL

A primeira aba da guia "Estatísticas" fornece o resumo do desempenho do canal nos últimos 28 dias – ou no período que você escolher. O cartão das métricas principais entrega o número de visualizações, assim como o tempo de exibição (em horas), a quantidade de novos inscritos e a receita estimada – se fizer parte do Programa de Parcerias do YouTube (YPP). Alguns relatórios da visão geral podem ser personalizados, trazendo comparações com o desempenho típico do canal e apontando se a média em questão está superior ou abaixo do habitual, como na imagem abaixo:

Esta aba também inclui o desempenho do canal nas últimas 48 horas ou 60 minutos, com atualizações em tempo real (canto direito da imagem).

ALÉM DISSO, HÁ OUTROS RELATÓRIOS COMO:

PRINCIPAIS VÍDEOS

Aqui, aparecem os 10 videos principais do canal no período selecionado, classificados por visualizações. Também é possível ver o desempenho da duração média dos views de cada clipe. Para acessar métricas mais avançadas, basta clicar no vídeo desejado.

Dica: Além desses relatórios, o criador pode obter o desempenho das Histórias mais recentes nos últimos sete dias!

VÍDEOS MAIS RECENTES

Nesta tela, o criador tem acesso ao desempenho dos 10 vídeos mais recentes do canal, com o número de visualizações de cada clipe, taxa de cliques e duração média da visualização – todos com comparações de performance, que pode estar superior ou abaixo do habitual. Para conferir outro vídeo, basta selecionar a seta no canto inferior. Ainda é possível acessar métricas mais avançadas ao escolher "Ver estatísticas do vídeo", em azul.

ESTATÍSTICAS

ALCANCE

Já a segunda aba da guia "Estatísticas" irá mostrar como a audiência descobriu o canal nos últimos 28 dias – ou nas datas que o criador selecionar. O cartão das métricas principais do alcance entrega a quantidade de impressões no período, a taxa de cliques (CTR) de impressões, o número de visualizações, além dos espectadores únicos. Neste caso, as impressões significam a quantidade de vezes em que as miniaturas do vídeo foram mostradas aos usuários. Já o CTR traz as visualizações por impressões mostradas, ou seja, avalia com que frequência os espectadores assistiram a um vídeo depois de ver uma impressão de miniatura. Tudo sempre com as comparações do desempenho típico do canal, apontando se a média em questão está superior ou abaixo do habitual, como na imagem abaixo:

Vale lembrar que as impressões mostradas nesta tela são provenientes apenas do YouTube, e não de sites ou aplicativos externos.

ALÉM DISSO, A ABA TRAZ RELATÓRIOS PARA:

TIPOS DE ORIGEM DE TRÁFEGO

Resultados em porcentagem de como os usuários encontram o seu conteúdo:
Pesquisa do YouTube – Termos usados para encontrar seu conteúdo no YouTube.
Vídeos sugeridos – Total de visualizações provenientes das sugestões que aparecem ao lado ou depois de outros vídeos.
Externa – Tráfego de websites e aplicativos que incorporam ou incluem links para os seus vídeos no YouTube.
Recursos de navegação – Tráfego da página inicial, feed de inscrições e outros recursos de navegação.
Páginas do canal – Tráfego da página do seu canal do YouTube, de outros canais ou de canais de temas específicos.
Outros

IMPRESSÕES E COMO ELAS INFLUENCIARAM NO TEMPO DE EXIBIÇÃO

Este funil traz o número de vezes em que uma miniatura foi exibida aos visitantes no YouTube (impressões), a frequência com que a miniatura trouxe visualizações (taxa de cliques ou CTR) e como essas visualizações geraram tempo de exibição (horas em que os espectadores passaram assistindo ao vídeo). Além disso, há a porcentagem de impressões que teve origem nas recomendações de vídeos por parte do YouTube. É importante lembrar, também, que apenas as visualizações e o tempo de exibição provenientes de impressões estão incluídos neste relatório.

ORIGEM DO TRÁFEGO – EXTERNA

Detalhes do tráfego de websites e aplicativos que incorporam ou incluem links para os vídeos do seu canal. Neste exemplo, é possível ver que a maior parte do tráfego externo vem das buscas do Google (36,0%), seguido pelo WhatsApp (1,7%), Google Go (0,5%), YouTube (0,2%) e Internet Samsung para Android (0,1%).

ORIGEM DO TRÁFEGO – PLAYLISTS

Tráfego das listas de reprodução mais visualizadas que incluem os seus vídeos. Vale lembrar que pode conter playlists próprias ou de outras pessoas!

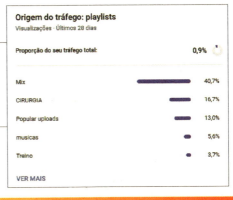

ORIGEM DO TRÁFEGO – VÍDEOS SUGERIDOS

Tráfego proveniente de sugestões apresentadas juntamente ou após outros vídeos, além de links nas descrições de vídeos. Como no item anterior, estes clipes podem ser seus ou de outras pessoas.

ESTATÍSTICAS

ORIGEM DO TRÁFEGO – PESQUISA DO YOUTUBE

Tráfego com origem em termos de pesquisa que encaminharam os usuários ao canal. Neste exemplo, o termo que mais trouxe visitantes ao criador de conteúdo nos últimos 28 dias foi "muay thai feminino", com 23,1%. Repare que esse valor é mais da metade da proporção total (43,7%).

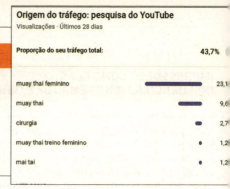

COMO AUMENTAR O TRÁFEGO?

Segundo a especialista em vídeo marketing Francielle Mianes, atualmente, existem dois fatores essenciais para fazer com que um canal no YouTube cresça. "O primeiro é a taxa de cliques (CTR). Então, se a thumbnail do vídeo é atrativa, se há um bom título, se o assunto é interessante, se está entregando para as pessoas certas... É a porcentagem das pessoas que clicaram no vídeo. E o segundo fator é a taxa de retenção, ou seja, o tempo no qual as pessoas permanecem assistindo ao vídeo", explica Fran. Porém, qual porcentagem de CTR é considerada satisfatória? Cestarolli, do canal Produccine, revelou durante live transmitida em junho de 2021 que "independente do tanto de inscritos que o canal tenha, seja ele novo ou não, uma taxa de cliques boa para o YouTube é entre 5% e 10%". Porém, uma média abaixo dessa faixa não representa um resultado fraco. Já sobre a taxa de retenção do público-alvo, você descobre na próxima estatística!

ENGAJAMENTO

A terceira aba da guia "Estatísticas" irá mostrar o resumo do tempo gasto pelo público com o seu canal e como ele interage com o material. O cartão de métricas principais é composto pelo tempo de exibição (em horas) e pela duração média da visualização, sendo que o primeiro traz a comparação com o número habitual de horas do canal, incluindo o tempo de vídeos públicos, privados, não listados e excluídos. Já o segundo tópico apresenta a média estimada de minutos assistidos por visualização para conteúdo, período, região e outros filtros selecionados, como na imagem:

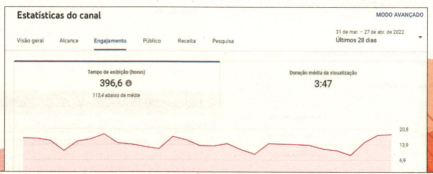

Para ter acesso aos resultados no formato de gráfico, basta selecionar uma das duas métricas citadas, assim como acontece com os itens estudados anteriormente.

ALÉM DISSO, A ABA TRAZ RELATÓRIOS PARA:

MOMENTOS IMPORTANTES DA RETENÇÃO DE PÚBLICO

Neste espaço, você irá descobrir como momentos diferentes dos seus vídeos prenderam a atenção dos espectadores! Ou seja, informações sobre as áreas do vídeo que funcionam bem e as oportunidades de melhoria. Para isso, basta clicar no vídeo desejado. Vale lembrar que o processamento dos dados de retenção de público-alvo demora em média entre 1 e 2 dias.

ESTATÍSTICAS POR VÍDEO:

Após escolher um dos vídeos dentro desta métrica, uma tela como esta irá aparecer no seu desktop. Em "Introdução", os dados mostram a quantidade de espectadores que continuam no vídeo por volta dos 30 segundos de duração. O mais interessante é que o próprio YouTube responde se a média está satisfatória. Neste exemplo, é possível ler abaixo do gráfico que "53% dos espectadores ainda estão assistindo ao alcançar 0:30. Essa porcentagem está acima da média". Já no botão "Queda", a única mudança é a entrega do trecho exato em que os espectadores abandonam o vídeo em questão.

Dica de especialista: "Antigamente, os vídeos com muitas visualizações e pouca retenção ganhavam relevância do mesmo jeito. Hoje, aquilo que você promete na capa precisa ser entregue. Como o YouTube entende que a entrega foi feita? Pelo tempo que as pessoas permanecem assistindo ao seu vídeo! Digamos que o vídeo tenha 10 minutos e a maioria assistiu pelo menos à metade. A plataforma entende que é uma boa taxa de retenção e entrega para mais pessoas", explica Francielle.

ESTATÍSTICAS

VÍDEOS MAIS ACESSADOS

Mostra os vídeos com mais tempo de exibição (em horas) nos últimos 28 dias. Ou seja, os clipes mais populares do seu canal. Para analisar mais métricas, como visualizações e impressões, basta acessar o relatório de estatísticas expandido ao clicar no vídeo desejado.

PRINCIPAIS POSTAGENS

Elas são as publicações com o maior nível de envolvimento de acordo com a quantidade de "Gostei" (Like) ou votos no período selecionado, divididas em imagem, enquete, texto e vídeo.

PRINCIPAIS LISTAS DE REPRODUÇÃO

Essas são as principais playlists por tempo de exibição nos últimos 28 dias. Neste exemplo, a mais popular é a que traz os vídeos reunidos em "CIRURGIA", com 53,2% do resultado.

PRINCIPAIS VÍDEOS POR TELA FINAL

Correspondem aos vídeos com as telas finais mais eficazes do canal nos últimos 28 dias, ou seja, as mais clicadas pelos visitantes por conta dos elementos da última tela.

No vídeo "DICAS DE TERROR PT-BR? TEMOS!", da jornalista Carol Moreira, a tela final traz três elementos: dois vídeos e o botão de inscrição, nos quais é possível clicar e conferir outros conteúdos do canal ou se inscrever nele.

Principais cards
Cliques do card · Últimos 28 dias

Muay Thai:	1
	0
	0
	0

PRINCIPAIS CARDS

Mais clicados pelos espectadores, os cards são usados para tornar seu conteúdo mais interativo e podem ser encontrados ao clicar no ícone "i", localizado no canto da tela. Eles levam o visitante a outros vídeos, canais, links ou playlist, como nas imagens abaixo.

FOTOS: REPRODUÇÃO DA INTERNET

No vídeo "COMO OS MAIAS DESAPARECERAM? Nostalgia Animado", de Felipe Castanhari, é possível encontrar todos os cards do clipe clicando no "i" do canto superior direito da tela (imagem 1). Neste caso, o card leva os espectadores para uma playlist do canal, em que reúne nove vídeos da lista "Nostalgia ANIMADO" (imagem 2).

Principais tipos de elementos da tela final
Cliques por elemento da tela final mostrado · Últimos 28 dias

Vídeo	0,0%
Inscrições	0,0%
Envio mais recente	0,0%
Melhor para o espectador	0,0%

PRINCIPAIS TIPOS DE ELEMENTOS DA TELA FINAL

A métrica mostra quais os tipos de elemento em que os visitantes mais clicaram em todo o canal, como vídeo, inscrições, envio mais recente e melhor para o espectador.

Gostei x Não gostei
Desde a publicação

THE BOLD TYPE: MITOS X VERDADE E...		100,0%
Média do canal		98,3%

ESTATÍSTICAS POR VÍDEO

MARCAÇÕES "GOSTEI" E "NÃO GOSTEI"

Chegou a hora de analisar a métrica mais pedida pelos youtubers: a audiência! O famoso "like" ou "joinha" resume quantos espectadores gostaram ou não ("dislike") dos seus envios. Para acessá-la ao nível de vídeo, escolha um deles e selecione "Engajamento". No exemplo, os relatórios indicam que o clipe teve 100% de aprovação com cliques apenas no botão "Gostei".

PÚBLICO

A quarta aba da guia "Estatísticas" traz as características mais importantes dos usuários que acompanham o seu canal. Pelo cartão de métricas principais, você tem acesso ao número de visitantes recorrentes e novos, aos espectadores únicos e à alteração no número de inscritos em comparação com o desempenho habitual do canal (imagem abaixo). Segundo o YouTube, no longo prazo, esta última métrica pode ajudar o criador a entender por que os espectadores se inscrevem ou cancelam a inscrição.

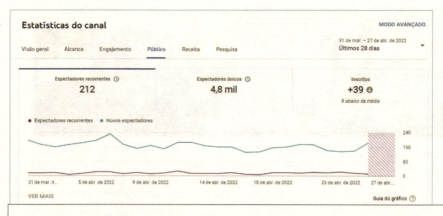

No exemplo, é possível concluir que, mesmo com o resultado positivo de +39 em "Inscritos", o canal está 8 pontos abaixo da média, já que a quantidade habitual seria de 46 a 71 (para acessar essa média, basta clicar na métrica).

ALÉM DISSO, HÁ OUTROS RELATÓRIOS COMO:

NOTIFICAÇÕES DO SINO DOS INSCRITOS

Significa quantos inscritos escolhem receber todas as notificações do seu canal e quantos podem efetivamente recebê-las, de acordo com as configurações do dispositivo e do YouTube. Por exemplo, se um inscrito desativa esse recurso ou não faz login na plataforma, as notificações podem ser impedidas de chegar até ele. Outro bônus deste separador é a entrega do que seria um bom resultado para o YouTube, com a intenção de orientar ainda mais os criadores. O primeiro fica entre 10% e 30%, enquanto segundo fica entre 5% 20%. Como os relatórios deste exemplo são 32,3% e 11,4% respectivamente, o canal analisado pode se considerar dentro da média!

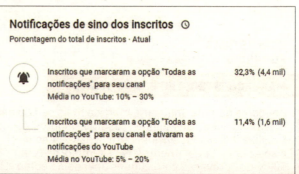

Tempo de exibição dos inscritos
Tempo de exibição · Últimos 28 dias

Não inscrito — 98,7%
Inscrito — 1,4%

TEMPO DE EXIBIÇÃO DOS INSCRITOS

Sabia que muitos criadores têm a maior parte da audiência proveniente de não inscritos no canal? Para saber se você é um deles, basta procurar por esta métrica, que traz o tempo de visualização do seu público dividido entre não inscritos e inscritos. Por isso, muitos youtubers insistem naquela mensagem superconhecida: "Inscreva-se, compartilhe e deixe o seu like" para motivar o crescimento do canal.

Dica de especialista:
"Descobri que 65% da minha audiência não é inscrita! Então, fiz até campanha e coloquei "inscreva-se" no início de todos os vídeos. Neste ano, a meta é chegar à marca de um milhão! Quem não trabalha com o YouTube não sabe o quanto isso é valioso para o algoritmo, porque ele entende que é um conteúdo legal e mostra para pessoas que não se inscreveram ainda", orienta Leonardo, do canal Minuto da Terra.

Locais mais acessados
Visualizações · Últimos 28 dias

Brasil — 86,9%

LOCAIS MAIS ACESSADOS

Aqui, o público do seu canal estará dividido por localização geográfica, já que os dados são baseados no endereço IP. Para obter mais detalhes, como porcentagem por Estados, clique em "Ver mais" e, em seguida, escolha o país. Os dados irão aparecer como na imagem abaixo:

País > Brasil	Visualizações ↓		Duração média da visualização	Tempo de exibição (horas)	
Total	5.543		3:51	356,7	
São Paulo	983	17,7%	4:51	79,6	22,3%
Rio de Janeiro	245	4,4%	3:59	16,3	4,6%
Minas Gerais	200	3,6%	3:47	12,7	3,6%
Paraná	23	0,4%	3:02	1,2	0,3%
Bahia	22	0,4%	4:59	1,8	0,5%
Pernambuco	11	0,2%	0:37	0,1	0,0%
Ceará	10	0,2%	9:51	1,6	0,5%

Com 17,7% do total de visualizações, o canal analisado tem a maioria da audiência proveniente do Estado de São Paulo.

ESTATÍSTICAS

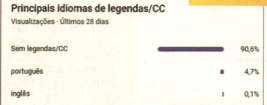

PRINCIPAIS IDIOMAS DE LEGENDAS/CC

A métrica traz o seu público por idioma, com dados baseados na utilização de legendas e CC. Neste exemplo, a maior parte da audiência mostra que não precisa utilizar esse recurso para acompanhar os vídeos do canal, acompanhado por 4,7% que ativa a ferramenta em português e 0,1% em inglês.

PRINCIPAIS TIPOS DE ELEMENTOS DA TELA FINAL

Aqui, você encontra o seu público separado por idade e gênero, com base nos visitantes com sessão iniciada em todos os dispositivos. Neste exemplo, é possível constatar que a maioria da audiência é feminina, com 79,8% do total, e a faixa etária mais expressiva do canal analisado fica entre 25 e 34 anos, com 43,6%.

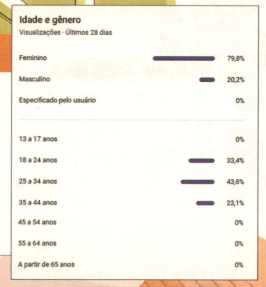

CURIOSIDADE

Alguns criadores ainda conseguem acessar os relatórios "Quando seus espectadores estão no YouTube", "Outros canais que seu público assiste" e "Outros vídeos que seu público assistiu". Enquanto os dados dos dois primeiros se baseiam na atividade dos seus visitantes em todos os dispositivos nos últimos 28 dias, o último analisa os 7 dias mais recentes. Bastante completo, né?

RECEITA

A quinta aba da guia "Estatísticas" funciona apenas para os canais inscritos no Programa de Parcerias do YouTube (YPP). Por isso, é tão importante estar atento às regras do cadastro (leia mais sobre o assunto no Capítulo 3 deste guia). Basicamente, a "Receita" ajuda a monitorar os ganhos no YouTube, sendo que o cartão de métricas principais é dividido em três separadores: receita estimada (receita líquida), RPM e CPM baseado em reproduções. Porém, o que essas estatísticas significam? Aprenda agora!

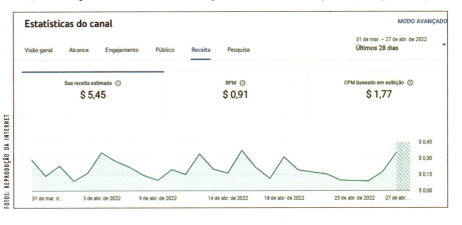

✔ RECEITA ESTIMADA
Apresenta a receita total estimada de todas as transações e anúncios vendidos pelo Google para o período e o local selecionados. Sendo assim, ela inclui os ganhos com anúncios, YouTube Premium, Clubes dos canais, Super Chat e Super Stickers. De acordo com a plataforma, esse é o valor real que você recebe após a dedução da participação do YouTube na receita.

✔ RPM (RECEITA POR MIL)
Como o próprio nome adianta, a métrica informa quanto o criador ganhou para cada mil visualizações. O cálculo da RPM é simples: basta dividir a receita estimada pelo total de visualizações do canal no mesmo período.

✔ CPM
Já o CPM traz o custo por mil baseado em exibição e informa quanto os anunciantes pagaram para cada mil exibições monetizadas. Por exemplo, uma exibição monetizada acontece quando um espectador vê pelo menos uma impressão de anúncio ao assistir um dos seus vídeos.

CURIOSIDADE

Como a RPM inclui as visualizações que não foram monetizadas, esse valor normalmente é menor do que o CPM baseado em exibições.

ESTATÍSTICAS

ALÉM DISSO, A ABA TRAZ RELATÓRIOS PARA:

RECEITA MENSAL ESTIMADA

Ela se refere a quanto o canal ganhou nos últimos seis meses. Para meses em curso e meses sem pagamentos finalizados, a receita está sujeita a alterações.

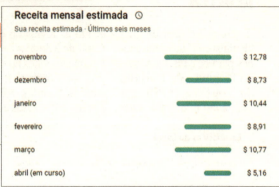

VÍDEOS MAIS RENTÁVEIS

Aqui, você encontra os vídeos com os ganhos estimados mais elevados para o período selecionado!

FONTES DE RECEITA

Neste separador, você descobre como o seu canal gera receita com o YouTube. No exemplo, os maiores ganhos vieram dos anúncios!

TIPOS DE ANÚNCIO

Falando em anúncios, esta métrica traz o formato de todos os que são exibidos no seu canal, em ordem de mais rentáveis, além da respectiva plataforma de compra. No exemplo, o formato que trouxe mais ganhos para o canal foi o de anúncios em vídeos puláveis, com 59,5% da receita.

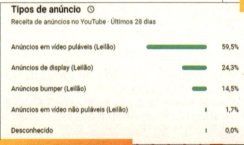

CURIOSIDADE

Para alguns criadores, é possível acessar os relatórios da "Receita de transações", que mostram a renda líquida estimada originada de conteúdo pago e Super Chat.

PESQUISA

A última aba da guia "Estatísticas" é bastante interessante para saber o que o público pesquisa no YouTube. Segundo orientação da própria plataforma, a métrica pode ajudar você a identificar escassez de conteúdo e temas para vídeos que interessam aos usuários no período analisado. O espaço é composto pelas categorias "Pesquisas no YouTube", "Pesquisas dos seus espectadores" e "Salvo", como nas imagens abaixo.

PESQUISAS NO YOUTUBE

Neste relatório, é possível conferir as principais buscas realizadas durante os últimos 28 dias, organizadas em tópicos. Você também consegue identificar a escassez de conteúdo e o volume de procura para cada termo, que aparece classificado como baixo, médio ou alto. Também dá acesso ao Google Trends, além de poder salvar, remover ou denunciar um termo de pesquisa. Para isso, basta selecionar as três bolinhas ou "Mais".

PESQUISAS DOS SEUS ESPECTADORES

Elas se referem aos termos de busca que o seu público e espectadores de canais com conteúdo semelhante procuraram no YouTube nos últimos 28 dias. Além disso, é possível conferir o volume de pesquisas para cada termo, classificado como baixo, médio ou alto.

SALVO

É neste separador que os termos de pesquisa salvos por você ficam guardados para futuras consultas.

O MUNDO DOS LANÇAMENTOS

O UNIVERSO DO
7 em 1

POR CAROLINA SALOMÃO | IMAGENS: SHUTTERSTOCK

O QUE SÃO LANÇAMENTOS? É VERDADE QUE EXISTEM PESSOAS FATURANDO CINCO, SEIS E ATÉ SETE DÍGITOS EM UM DIA PELA INTERNET? COMO COMEÇAR A TRABALHAR NESSA ÁREA COM O YOUTUBE? SAIBA A RESPOSTA PARA ESSAS E MAIS PERGUNTAS AGORA!

Se antigamente apenas blogueiras e influenciadores com milhares de seguidores conseguiam faturar alto com postagens pagas e vendas pelas redes sociais, agora, cada vez mais professores, confeiteiros, nutricionistas, médicos e outros profissionais alcançam uma fatia (bem grande) desse bolo, se tornando experts de um lançamento. Afinal, na ilha dos lançadores, qualquer habilidade pode ser monetizada, transformada em um produto – também chamado de infoproduto – e obter ganhos de múltiplos dígitos em poucos dias! E não estamos falando somente dos grandes players da área – apesar de muitos deles também terem começado os seus projetos do zero – mas de pessoas que abandonaram o sistema tradicional de trabalho para empreender no próprio negócio digital. Além do alcance que só o on-line pro-

porciona, os investimentos iniciais são bem mais baratos em relação às necessidades de uma empresa física. Mas o que são lançamentos? O formato veio importado dos Estados Unidos para o Brasil por Erico Rocha, o criador do "Fórmula de Lançamento", programa de treinamento que ensina esse método de venda "pensado para quem tem um simples objetivo: fazer um 6 em 7". Ou seja, obter um faturamento de 6 dígitos em 7 dias! Já as possibilidades de infoproduto são diversas: e-books, mapas mentais, masterclasses, consultorias, mentorias e cursos on-line, os mais populares entre eles. Não sabe por onde começar? Aprenda agora os tipos de lançamentos existentes, as funções que sustentam essa máquina de fazer dinheiro e os primeiros passos para entrar nesse universo!

CAPÍTULO 5

O MUNDO DOS LANÇAMENTOS

A HISTÓRIA DO LANÇAMENTO

Tudo teve início quando um americano chamado Jeff Walker começou a trabalhar com a internet em 1996, após largar o emprego no mundo corporativo para cuidar dos dois filhos pequenos. Na época, ele escrevia sobre o mercado de ações em uma newsletter enviada por e-mail para 19 pessoas – direto do quarto dos bebês e sem cobrar nada por isso! Jeff ficou muito nervoso quando fez a primeira oferta para a lista de e-mail, que tinha começado a crescer bastante. "Eu sabia que precisava vender algo, mas continuei procrastinando porque eu não era um vendedor – e não sabia como fazer uma oferta. Então, continuei entregando mais conteúdo de valor... E quando eu finalmente fiz a oferta, as pessoas ficaram muito animadas em comprá-la", explicou o empreendedor em sua website. Ele continuou aperfeiçoando essa fórmula até que estivesse "quase validada", percebendo que o verdadeiro ouro estava no método com o qual vendia seus produtos. Depois de compartilhar as suas descobertas em palestras, ensinando outros empreendedores a comercializar pela internet, Jeff decidiu criar seu próprio passo a passo de vendas on-line para que qualquer pessoa pudesse seguir. Assim, nascia o Product Launch Formula e, com ele, os faturamentos milionários da família Walker.

NO BRASIL

Apesar de ter um emprego estável em um banco na área da Computação, Erico Rocha revelou ao site da InfoMoney que não gostava do que fazia, já que sempre foi interessado pelo mundo do empreendedorismo. O impulso de que precisava veio após finalizar o livro "Trabalhe 4 Horas por Semana", de Timothy Ferris. Depois de abrir uma empresa e ainda ter faturamento baixo com o primeiro produto no final de 2009 – um site que reunia todas as informações sobre leilões de imóveis –, Erico encontrou os vídeos de Jeff Walker na internet e decidiu comprar o Product Launch Formula, que na época custava US$ 5 mil. Valeu a pena: segundo a InfoMoney, por meio do primeiro lançamento, o especialista faturou mais de R$ 100 mil em apenas sete dias! Com resultados tão convincentes, Erico decidiu negociar com Jeff Walker sobre o licenciamento do curso e, em 2012, ele já começava a ensinar empreendedores brasileiros a vender on-line. Assim, nascia o "Fórmula de Lançamento". Atualmente, com mais de 1,8 milhão de inscritos no canal do YouTube, Erico continua com o seu trabalho no marketing digital e reúne relatos poderosos de alunos que conquistaram o famoso "6 em 7" de faturamento. Um dos testemunhos traz a história de uma nutricionista que começou no digital sem ideia de produto, mas depois de seguir os passos do Fórmula, faturou mais de R$ 140 mil! Porém, engana-se quem pensa que exista um tipo de lançamento e apenas cursos on-line à venda. Preparado para descobrir o leque de opções do mercado de infoprodutos?

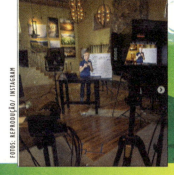

Jeff Walker é o criador do famoso Product Launch Formula (em português, "Fórmula do Lançamento de Produto"), o curso on-line que ensina microempreendedores a vender pela internet

Depois de resultados tão expressivos, Erico Rocha decidiu negociar com o próprio Jeff Walker sobre o licenciamento do curso e trouxe o método para o Brasil, chamando-o de "Fórmula de Lançamento".

TIPOS DE LANÇAMENTO

Saiba mais sobre os formatos mais conhecidos do método de vendas que revolucionou o mercado digital!

LANÇAMENTO SEMENTE OU POR DESAFIO

Modelo mais indicado para iniciantes pelos especialistas e, provavelmente, o primeiro lançamento que você viu acontecer nas redes sociais. A "Semana do Desafio", por exemplo, é composta por uma série de lives dentro de plataformas como YouTube, Instagram e Facebook, que geralmente se desenrolam ao longo de sete dias e ocorrem logo antes da abertura do carrinho para a venda do seu infoproduto. No entanto, o trabalho começa muito antes e a média de duração de todo o projeto é de 45 a 30 dias. O tema de cada ao vivo? Depende do expert e do nicho de atuação, mas os objetivos são os mesmos: o de oferecer uma espécie de "amostra grátis" do que o público irá encontrar no infoproduto, além de garantir que o espectador já saia da semana especial com um plano de ação contra os problemas discutidos.

PERPÉTUO

Basicamente, vender no perpétuo é não fechar o carrinho de compras e dar a oportunidade para os seus clientes adquirirem o infoproduto ou serviço quando quiserem. Por outro lado, ele exige um investimento maior para manter a estrutura sempre ativa, como, por exemplo, a existência contínua do suporte e a plataforma que hospeda o conteúdo.

O MUNDO DOS LANÇAMENTOS

RECORRÊNCIA

Já pensou em obter ganhos regularmente de um mesmo produto por tempo indeterminado? Isso é possível com a recorrência, como, por exemplo, o formato de assinaturas. Por meio delas, o seu negócio digital passa a ter ganhos semanais, mensais ou anuais de um mesmo infoproduto!

O QUE VENDER?

Conheça os principais infoprodutos oferecidos em um lançamento – e quando o YouTube pode ser usado como uma das plataformas principais da estratégia!

E-BOOKS

Livros digitais acessados por smartphones, computadores e dispositivos móveis, como o e-reader Kindle, que surgiu especialmente para eles. Por às vezes não ter custo inicial, o formato é ótimo para agradar sua audiência e pode ser criado com a ajuda de aplicativos como o Canva. Atualmente, muitos especialistas usam os e-books somente para iscas digitais do lançamento – outro tipo de "amostra grátis" para atrair compradores em potencial (leads) do infoproduto em si – ou como bônus aos alunos após o fechamento do carrinho.

CONSULTORIAS E MENTORIAS

Outra possibilidade dentro do mercado digital é a venda dos seus serviços como consultor ou mentor. Enquanto o primeiro oferece uma análise individual sobre os problemas apresentados pelo cliente, o segundo traz um acompanhamento ainda mais próximo, transformando a mentoria em uma das soluções mais caras da esteira de produtos de um expert. Para ter uma ideia, a hora de mentoria de um especialista pode variar entre R$ 5 mil e R$ 20 mil – ou mais! Já a consultoria, inicia com preços bem mais modestos, algo em torno de R$ 100 e R$ 200. Porém, no final, não há regras: é você quem define a precificação dos serviços.

CURSOS ON-LINE

Em 2020, como consequência da quarentena durante a pandemia causada pelo vírus da Covid-19, o mercado de cursos on-line sofreu um boom jamais visto. Confinadas em casa, pessoas de todo o mundo enxergaram duas oportunidades em suas horas vagas: de um lado, as que investiram em conhecimento à distância; do outro, as que apostaram em um novo modelo de negócio por meio de cursos on-line. Além disso, questões relacionadas à duração, número de módulos e plataforma de entrega (YouTube, sites como a Hotmart e Eduzz ou outro aplicativo) variam de acordo com o método e as necessidades de cada expert.

MASTERCLASSES

Como o próprio nome adianta, a "aula de mestre", em tradução livre para o português, é muito utilizada na esteira de infoprodutos de especialistas de diversos alcances e nichos. Afinal, ela pode ser comercializada por um preço acessível enquanto oferece espaço suficiente para o expert se aprofundar em um tema específico da área em que atua. A duração de uma masterclass fica a critério do professor, mas, geralmente, vai de 3 horas em diante, além de ser possível entregá-la ao vivo ou gravada pelo YouTube, por exemplo.

MAPAS MENTAIS

Essa é uma ótima oportunidade para quem se dá bem com ilustrações e entende de design gráfico! Afinal, os mapas mentais nada mais são do que representações visuais de um resumo, com o objetivo de auxiliar nos estudos e na fixação dos conceitos principais de um determinado assunto. Assim como os e-books, os mapas mentais podem ser o próprio infoproduto, a isca digital da captação de leads, ou o bônus da solução que você deseja vender.

A ILHA DO LANÇAMENTO: QUEM É QUEM NO PROJETO?

O EXPERT

Ele é o ponto de partida de todo esse universo e a pessoa que reunirá um exército de admiradores no perfil. A sua maior função é produzir conteúdo frequente e em diferentes formatos (vídeo, foto, e-books, lives etc), apresentar soluções para as dúvidas dos seguidores e trabalhar constantemente o relacionamento com a audiência. Por exemplo, é o especialista que será o rosto de cada vídeo no canal, o responsável pela execução das lives e estará diariamente nas Histórias!

PONTO FORTE: Personalidade e expertise da área na qual atua.

O COPYWRITER

Segundo o blog da Hotmart, uma das plataformas mais populares de cursos on-line, copywrting é "uma forma de convencer seu público a realizar alguma ação específica – como baixar um material, acessar seu site ou realizar uma compra – por meio da escrita persuasiva, utilizando técnicas capazes de tornar sua oferta irresistível!". Apesar disso, muitos profissionais da área afirmam que não é preciso ter o dom da escrita para se tornar um copywriter de sucesso, mas o mais importante é descobrir o que a audiência quer do expert e vencer todas as objeções criadas por ela – ou seja, justificativas para não realizar a compra.

PONTO FORTE: Investigação, persuasão e texto.

▶ O CO-PRODUTOR

É o braço direito – e esquerdo! – do expert. Também pode ser chamado de estrategista digital e é o responsável por todo o planejamento técnico que caracteriza um lançamento. Enquanto o especialista é o rosto do projeto e está em uma live no YouTube, o co-produtor cuida dos bastidores de cada etapa. Como ele irá trabalhar diariamente e próximo ao expert, é importante que os dois tenham visões bem alinhadas e formem uma boa dupla!

PONTO FORTE: Gerência e criação de estratégias.

▶ O GESTOR DE TRÁFEGO

O gestor de tráfego é outro pilar do lançamento. Afinal, é o responsável pela circulação e desempenho dos anúncios, oferecendo desde o orçamento até a análise dos resultados da campanha, como as taxas de conversão de cada ads. Os especialistas da área garantem: o resultado por tráfego pago chega muito mais rápido do que quando ocorre de forma orgânica!

PONTO FORTE: Domínio de códigos e métricas.

▶ O SUPORTE

Além de ser o cartão de visitas do negócio, pode ser a porta de entrada para quem quer trabalhar com lançamentos. O suporte é o responsável pelo atendimento ao consumidor e precisa de um conhecimento detalhado sobre todas as plataformas utilizadas no projeto. Os melhores suportes são conhecidos pela rapidez nas respostas – muitas vezes, em questão de minutos! –, agilidade nas soluções durante o processo da compra e o período da experiência com o infoproduto ou serviço, entre outros aspectos do relacionamento com o cliente.

PONTO FORTE: Relacionamento com cliente, organização e agilidade.

▶ O EDITOR DE VÍDEOS

Peça importante para a elaboração dos infoprofutos, como curso on-line, consultoria, mentoria e masterclass, o editor também auxilia em todas as etapas que envolvem o lançamento, como, por exemplo, nas lives e nuggets (vídeos curtos) – este último, muitas vezes, patrocinado para atrair mais pessoas ao canal e à Semana do Desafio.

▶ O DESIGNER

Em um lançamento, ainda há o trabalho de quem faz os criativos (arte das publicações), a imagem de perfil, capa e thumbnails do canal, além do layout da página de vendas, entre outros serviços que envolvem design gráfico.

▶ O CONTADOR

Assim como ocorre em negócios físicos, o contador cuida da emissão da nota fiscal, além de outros assuntos financeiros e tributários referentes ao lançamento e à empresa.

Canal no YouTube:
/RafaelKiso e /socialmlabs
Perfil no Instagram:
@rkiso e @socialmlabs
Website:
www.mlabspages.com/rafael-kiso/link-na-bio-rkiso

Rafael Kiso

BATE-PAPO

Rafael Kiso é fundador e CMO da mLabs, além de eleito o Melhor Profissional de Planejamento Digital pela ABRADi (Associação Brasileira dos Agentes Digitais). Além de ser autor e co-autor de quatro livros, como o best-seller Marketing Na Era Digital, o especialista ministra palestras e cursos.

Coleção Marketing Online: Quais são os diferenciais que o YouTube oferece ao negócio digital em relação às outras redes sociais?
Rafael Kiso: O YouTube é diferente porque ele consegue atrair pessoas em função dos micromomentos*. Então, ele é o segundo maior buscador da web, as pessoas procuram por informações e acabam achando vídeos no YouTube por meio do Google ou pelo próprio YouTube. Assim, ele atua fortemente com o alcance orgânico, natural, em função dessas buscas e dos micromomentos.

CMO: Como o criador de conteúdo pode aproveitar esse aspecto do YouTube?
RK: É muito interessante criar o tal do conteúdo evergreen (persistente ou duradouro, em português). Ou seja, é um material que pode servir por muito tempo, desde que corresponda às pesquisas que as pessoas fazem. Isso é diferente porque nas outras redes a maioria não está explorando, mas navegando, assim acabam descobrindo algo. Já no YouTube, você tem a busca ativa.

CMO: Qual é o maior erro que um negócio digital ou um produtor de conteúdo tende a cometer hoje em dia no uso do YouTube?
RK: O principal erro é achar que o YouTube é um tipo de canal de resultados a curto prazo. É preciso entender que lá é um trabalho de formiga, é para plantar sementes e colher ao longo do tempo, conforme as pessoas vão buscando e você vai ganhando audiência e assinantes. A maioria das pessoas quer hacks, algo simples, rápido e curto. Mágicas, mas lá não existe. Então, é um trabalho de longo prazo, mas ele paga dividendos durante esse período.

CMO: O que dar mais atenção em uma estratégia para o YouTube?
RK: Em termos de métrica, visualizações e crescimento de assinantes do canal. Porém, visualizações qualitativas, que tenham no mínimo 70% de visualização do vídeo inteiro. Não dá para ter uma visualização de apenas 2% ou 3%, ou que seja só de 3 segundos em um vídeo de 10 minutos. Então, é preciso verificar o número de visualizações, a quantidade de pessoas que chega, a duração ou viewability**, além de ficar bem atento ao que as pessoas comentam. Nas estratégias de construção de vídeo, é preciso ter vários pontos de diálogo com o público, para que as pessoas escrevam nos comentários e para que o produtor aprenda com eles, melhorando a cada conteúdo.

*Micromomentos: Quando ferramentas de busca como o Google fazem parte da jornada do consumidor, já que as pessoas o utilizam para pesquisar sobre um produto, serviço ou informação.
**Viewability: Algo como "dar visibilidade". É a métrica que ajuda a acompanhar e medir impressões de anúncios visualizados.

EDIÇÃO DE VÍDEOS

ILHA DE
edição

POR CAROLINA SALOMÃO | IMAGENS: SHUTTERSTOCK

SEJA BEM-VINDO AO MUNDO DO YOUTUBER! SE VOCÊ JÁ
TENTOU POSTAR UM VÍDEO NA PLATAFORMA OU NÃO SABE
POR ONDE COMEÇAR, ESSE CAPÍTULO TRAZ AS TÉCNICAS QUE
TODO INICIANTE EM EDIÇÃO PRECISA SABER. VAMOS LÁ?

Quem pensaria que unir cenas diferentes poderia resultar em uma história mais contínua – e cativante – do que a de uma gravação sem cortes? Edwin Stanton Porter sim! Antes de se tornar um diretor pioneiro na edição de filmes, Edwin trabalhava como projecionista em uma casa de eventos chamada Eden Museé, em Nova York. No local, Edwin tinha a tarefa de selecionar registros em plano-sequência a fim de reorganizá-los em um filme de 15 minutos. Soou familiar? Foi essa experiência que o levou à prática da "edição de continuidade" no início de 1900, despertando emoções variadas no público com uma comunicação totalmente nova! Tanto que nesta época, o norte-americano já trabalhava para ninguém menos que Thomas Edison, famoso empreendedor dos Estados Unidos e responsável por diversas invenções que iriam revolucionar a História,

entre elas, a lâmpada incandescente em 1879. Cortando para mais de 120 anos depois, a arte de transportar o público a qualquer época e lugar por meio da edição é tão essencial para o sucesso no YouTube quanto foi para os filmes de Porter. Afinal, a precisão de um corte pode despertar o sentimento decisivo de uma campanha e determinar o tom do conteúdo, sendo usado para assustar ou divertir, comprar ou apenas se conectar com o material. Se você também quer ser capaz de causar esses efeitos e, quem sabe, fazer da edição o caminho para trabalhar com as redes sociais, chegou o momento. Confira o bate-papo exclusivo que tivemos com Lucas Sales Ferreira, editor de vídeos e videomaker que já trabalhou para um canal com milhares de inscritos e um perfil com mais de 1,2 milhão no Instagram!

| EDIÇÃO DE VÍDEOS

FOTO: DIVULGAÇÃO

Lucas Sales Ferreira

Perfil no Instagram:
@olucasvideomaker

Lucas Sales iniciou na área de edição em 2019 e atuou em projetos para perfis com mais de 1 milhão de seguidores no Instagram, como o do especialista Hyeser. Hoje, entre os trabalhos, Lucas compartilha os conhecimentos sobre edição de vídeos no próprio perfil.

ENSINAMENTOS DO ESPECIALISTA

Ele iniciou os trabalhos com edição em 2019, mas o gosto por criar vídeos surgiu bem antes! Aos 11 anos e tendo o próprio YouTube como referência, Lucas se apaixonou pela área enquanto brincava com a câmera do pai no condomínio onde morava. "Assistia a muitos youtubers que mostravam o dia a dia, faziam VLOGS, e eu me interessei por isso. Então, comecei a produzir os meus próprios vídeos", contou o especialista. Apesar disso, Lucas pensava ser difícil atingir um nível de edição que conseguisse vender, tratando a situação como hobby – até que tudo mudou com o apoio dos amigos. "Eu divulgava meu trabalho pelo Instagram e acabei combinando um valor simbólico em troca de editar o vídeo de um amigo. A partir daquele momento, vi que poderia ganhar dinheiro com isso!", afirmou o videomaker. Os próximos passos de Lucas? Você descobre agora – e, quem sabe, faça deles os seus!

O PRIMEIRO CLIENTE

1. CONTATE OS ESTABELECIMENTOS DA SUA CIDADE

"Comecei a investir na prospecção de clientes e entrava em contato com algumas lojas e restaurantes, entre eles, uma hamburgueria da cidade em que morava, em Salto, São Paulo. Foi assim que fechei o primeiro contrato! Não era um amigo que estava interessado no meu serviço, mas um cliente de verdade", comemora Lucas.

2. APOSTE NOS LANÇAMENTOS!

"Às vezes, também procurava algum especialista do próprio YouTube que postava vídeos muito básicos. Então, eu tentava oferecer algo mais bem editado. Até pegava um vídeo que já existia, editava e mandava para ele. Percebi que o que faz a diferença é sempre dar uma amostrinha grátis. Então, entregue uma pequena edição, nem que seja da metade do vídeo, só para a pessoa ver a qualidade do seu trabalho", explica o expert.

3. DÊ UMA AMOSTRA GRÁTIS

"Em relação a entrar para o mercado dos especialistas, que hoje em dia está muito em alta, eu diria que a principal forma é preparar o seu portfólio. Mesmo que você ainda não tenha clientes, você pode escolher um vídeo, editar da melhor maneira que conseguir e apresentar para eles, porque há muitas pessoas no mercado que estão precisando de editor, mas não sabem onde procurar ou com quem falar. Às vezes, o iniciante consegue fechar com quem ele tanto quer!", incentiva Lucas.

AS TÉCNICAS MAIS FAMOSAS

4 CORTES
"A dica que eu sempre uso e é a mais básica são os cortes. Sempre corte o vídeo nos momentos em que você respira para falar e nos quais você erra em algo, porque você não precisa gravar o vídeo perfeito, mas na edição precisa ter esses tipos de cuidado", explica.

5 ZOOM IN & ZOOM OUT
"Os zoom in e zoom out servem para tornar o conteúdo mais dinâmico! Outra dica é não deixar o vídeo parado por mais de 8 ou 10 segundos, porque esse é o tempo em que a pessoa pode cansar de assistir e sair do vídeo, dependendo do tipo de conteúdo. Então, deixar no máximo 10 segundos sem editar. Depois, sempre faça um corte ou insira um zoom para entregar mais dinamismo!", afirma o especialista.

6 INSERTS DE TEXTO
"Outra dica é colocar algo escrito e fazer uma animação para a entrada. Você também pode legendar o vídeo, caso ele seja mais educacional e o espectador precise entender um conteúdo específico, por exemplo. E sempre coloque palavras-chave para dividir o conteúdo! Assim, as pessoas absorvem melhor e você consegue dar ênfase na palavra ou na parte do vídeo em questão", orienta o editor.
Confira o tutorial no fim desta matéria!

A OTIMIZAÇÃO NA EDIÇÃO

7 COMUNICAÇÃO COM O EXPERT
"Se o especialista diz 'edita aí', o editor não vai saber muito bem o que fazer, porque às vezes ele só entende como um vídeo para cortar, ou ele pode pensar que dá para fazer muito mais, mas o especialista quer algo simples. Então, a comunicação entre especialista e editor precisa ser bem clara, com os mesmos objetivos", entrega Lucas.

EDIÇÃO DE VÍDEOS

8 ROTEIRO E RETENÇÃO

"O principal em um roteiro são os bullet points (marcadores e ícones) para dividir o conteúdo do vídeo e confirmar qual é a mensagem que a pessoa quer passar. Como editor, você deve perguntar o que o cliente quer transmitir. Assim, você fica de acordo com a sua necessidade e a dele. Também esteja sempre de olho na questão da retenção, porque é algo muito importante para o YouTube. Ou seja, manter o espectador até o final do vídeo. Então, procure deixá-lo bem dinâmico. Não precisa ser aquele vídeo superprofissional, mas que tenha cortes e alguns usos de zoom", indica o editor.

9 CAPTAÇÃO DO VÍDEO

"Sempre pense se você quer colocar algum texto. Se for apenas escrito, você precisa se preocupar com o cenário para não confundir o público e dar clareza à mensagem. Agora, se for como os side blocks (ou blocos laterais, em tradução livre para o português), em que você coloca um fundo no texto, já é algo mais tranquilo, não atrapalha tanto a edição", explica Lucas.

QUANTO GANHA UM EDITOR INICIANTE?

Apesar de especialistas dificilmente falarem sobre valores em seus perfis nas redes sociais, Lucas foi direto ao ponto quando fizemos a pergunta do título. "Um editor iniciante consegue cobrar por vídeo de YouTube, entre 10 a 15 minutos, na faixa de R$ 100 e R$150, dependendo do tipo de edição. Se você buscar vários clientes e ter recorrência deles, é possível tirar por mês algo em torno de R$ 2 mil ou R$ 3 mil. Isso sem muito esforço, apenas escolhendo os clientes e tentando mantê-los", afirma o expert. E a notícia fica cada vez melhor: mesmo no começo da carreira, Lucas garante que é possível aumentar a qualidade do trabalho e, por consequência, o valor dele! Como? Segundo o especialista, uma das dicas mais importantes é não enviar apenas a mensagem com o orçamento, mas preparar uma apresentação de verdade para o futuro cliente, com design profissional e a descrição detalhada do que você irá entregar no vídeo. "Dessa forma, o material se torna mais caro para quem está contratando, porque a pessoa visualiza o que ela pode receber, enquanto você mostra que quer criar algo de qualidade", finaliza Lucas.

CAIXA DE FERRAMENTAS

Você já deve ter se perguntado como os influenciadores e videomakers conseguem resultados tão profissionais usando um smartphone similar ou igual ao seu, né? O segredo? Os programas de edição! Além de muitos serem gratuitos, há alternativas que funcionam nos sistemas iOS e Android. Basta escolher um dos softwares na loja de aplicativos do seu celular e fazer o download. Para facilitar ainda mais, pedimos para os nossos especialistas revelarem a lista de ferramentas essenciais a um canal profissional – incluindo as que funcionam em computadores. Se liga!

LISTA DE LUCAS, EDITOR DE VÍDEOS E VIDEOMAKER:

CAPCUT

"Para celular, sem dúvida este é o app de que mais gosto! Ele tem muitas funções focadas em animação. Então, você consegue aplicar efeitos que antigamente só existiam pelo computador, tanto como ajustes de imagens, quanto inserts de texto e outras ferramentas", indica o editor.
Preço: Gratuito
Disponível na AppStore e na Google Play Store

 O aplicativo também foi indicado pela especialista Francielle Mianes, que garantiu ser "bem completo" para edição de vídeos! Será que encontramos o queridinho dos youtubers?

ADOBE PREMIERE PRO

"Para computador, este é um dos mais comuns no mercado. A interface é um pouquinho mais complicada, mas dominando isso, você não precisa migrar para outro programa, nem se você quiser. É bem prático, tanto para quem está começando quanto para quem já está em um nível profissional", garante Lucas.
Preço: A ferramenta oferece teste gratuito de 7 dias e tem vários planos: mensal, anual e anual pré-pago

LISTA DE FRANCIELLE MIANES, EXPERT EM YOUTUBE MARKETING:

OPEN CAMERA

"Ele é ótimo para captação pelo celular. Você tem mais domínio sobre a luz, por exemplo", explica a especialista. Além desta funcionalidade, um dos maiores destaques da ferramenta é a estabilização automática, que permite corrigir tremores durante a gravação, sem contar o recurso de redução de sons externos.
Preço: Gratuito
Disponível na Google Play Store

SHOTCUT

Já para edição pelo computador, Francielle aposta neste programa, que garante ser bem intuitivo e ideal para iniciantes. Entre as funcionalidades da ferramenta, há o suporte de centenas de formatos, inúmeros filtros de vídeo e áudio, além de efeitos como correção de cores e recursos de transição.
Preço: Gratuito

EDIÇÃO DE VÍDEOS

CANVA
Outro queridinho dos produtores de conteúdo, o app oferece inúmeras alternativas de artes prontas, além de ferramentas intuitivas para quem deseja criar o design do zero. Um dos maiores trunfos do recurso é o tamanho certo para cada rede social (miniatura e capa do YouTube, Instagram Stories, capa do Facebook etc.), excluindo a necessidade de ajustar o formato em outro aplicativo, como o Photoshop. Bem mais prático, né?
Preço: Gratuito (versão mais simples). Para a versão Pro, existem planos mensais e anuais
Disponível na AppStore e na Google Play Store

LISTA DE RAFAEL KISO, FUNDADOR E CMO DA MLABS:

BARRA "EXPLORAR"
"A própria busca do YouTube é importante, mas é possível utilizar também o 'Explorar' dele, do TikTok e do Instagram. No 'Descobrir' do TikTok, você consegue ver quais são as principais tendências e, talvez, aquilo também sirva para os Shorts", orienta Rafael Kiso.

Nota: O botão "Explorar" em smartphones está localizado no canto superior esquerdo da tela, como na imagem (indicado em vermelho).

SEMRUSH
Outro aplicativo que ajuda você a monitorar as palavras-chave mais importantes do seu nicho. Ele entrega uma lista com filtros avançados sobre cada termo pesquisado, como um gráfico que mede a dificuldade da palavra no país selecionado, além das posições que o seu site perdeu ou ganhou nos tops 3, 10, 20 e 100 dos resultados de busca do Google.
Preço: Gratuito
Disponível na AppStore e na Google Play Store

VIDIQ
"Com ele, é possível rastrear e monitorar palavras, concorrentes, canais e até perfis para entender aquilo que está quente em termos de keywords e o que foi feito de vídeo sobre o assunto", explica o especialista.
Preço: Gratuito para até 3 concorrentes
Disponível na AppStore e na Google Play Store

ALSOASKED.COM
Nesta ferramenta, disponível somente em inglês, é possível analisar quais são as principais perguntas dos usuários sobre um determinado termo. Basta escrever a palavra-chave desejada. "É um site muito legal para entender o que as pessoas estão buscando", garante o expert.
Preço: Gratuito para até 3 palavras-chave por mês

GOOGLE TRENDS
Criado pelo próprio Google, o site traz gráficos com a frequência em que os termos mais procurados do momento aparecem em diferentes regiões do mundo e em diversos idiomas.
Preço: Gratuito

QUAL TUTORIAL APRENDER?

Perguntado sobre os tutoriais que todo iniciante precisa dominar, Lucas foi categórico: "No termo técnico, eu diria para pesquisar mais sobre keyframes". Porém, o que eles significam? Segundo o especialista, eles nada mais são do que "os efeitos usados pelos editores para fazer animações", como mover ou apagar um objeto do vídeo. E tem mais: o editor ainda indicou em qual efeito apostaria nesta etapa. "Diria transições e inserts de texto. Os inserts de texto são até mais importantes, porque só de saber que o texto vai entrar de uma forma mais animada, você começa a ver mais valor e chama mais atenção de quem está assistindo. Então, uma animação de texto!", indica Lucas. Quer aprender o passo a passo para aplicar a dica no seu negócio? Confira o tutorial a seguir!

EDIÇÃO DE VÍDEOS

COMO FAZER INSERTS DE TEXTO NO CAPCUT DIRETAMENTE NO CELULAR

PASSO 1
Entre na loja de aplicativos do seu smartphone e escreva "CapCut" na barra de busca. Faça o download gratuito do app.

PASSO 2
Após abrir o app, você vai encontrar esta tela. Clique em "+ Novo projeto", no canto superior esquerdo. Não é necessário fazer cadastro.

PASSO 3
Escolha o vídeo direto da sua Biblioteca de arquivos e corte o trecho desejado, se necessário. Clique em "Adicionar" em verde.

PASSO 4
Esta é a tela inicial da ilha de edição. Para os inserts de texto, procure por "Texto" no menu do canto inferior.

PASSO 5
Clique no "A+" para adicionar o texto desejado ao vídeo, também no menu do canto inferior.

PASSO 6
Uma caixinha de texto irá aparecer como na imagem. Depois de escrever a palavra ou a mensagem, permaneça em "Fonte" para escolher o tipo de letra que deseja usar.

PASSO 7

As fontes são divididas por idiomas e é possível, também, mover e mudar o tamanho da caixa de texto com os dedos, no próprio vídeo. Clique no "✓" ao lado da mensagem para concluir.

PASSO 8

Já em "Animação", no mesmo menu de "Fontes", você encontra os efeitos para os inserts de texto. Eles são separados por "Entrada", "Saída" e "Loop". Escolha um e arraste o dedo para a esquerda a fim de conferir as opções.

PASSO 9

Ao selecionar um efeito, você também pode controlar a velocidade dele arrastando a setinha verde no canto inferior da tela. Clique em "✓" ao lado do texto para concluir.

PASSO 10

O texto irá aparecer na linha do tempo como na imagem, logo abaixo do vídeo. Assim, é possível mover o texto ao pressionar a barra colorida por mais tempo, arrastando-a para alterar a posição.

PASSO 11

O projeto é salvo automaticamente e fica armazenado na guia "Editar" da tela inicial. Superprático!

CANAIS PARA CRIANÇAS

YOUTUBE Kids

POR CAROLINA SALOMÃO | IMAGENS: SHUTTERSTOCK

O CRESCIMENTO DA PLATAFORMA FOI TANTO QUE O YOUTUBE ENXERGOU A NECESSIDADE DE CRIAR UM APLICATIVO SÓ PARA CRIANÇAS. E SE HÁ ESPAÇO PARA A REDE SOCIAL, SURGE TAMBÉM UMA NOVA OPORTUNIDADE PARA CRIADORES DE CONTEÚDO.

Com design personalizado para o público infantil e a disponibilidade de controles parentais, o YouTube Kids foi lançado no Brasil em junho de 2016 e é focado em conteúdo educacional para idades entre pré-escolar (igual ou inferior a 4 anos), crianças (de 5 a 8 anos) e maiores (entre 9 e 12 anos). Essa necessidade de segmentar a própria plataforma foi um dos primeiros sinais da expansão e, neste caso, do impacto causado pelo YouTube na formação dos pequenos ao redor do mundo. A influência da rede social nesta questão é tanta que, em novembro de 2021, um artigo sobre crianças portuguesas que falam como as brasileiras viralizou no país! Como elas mudaram a maneira de se comunicar? O motivo apontado pelo jornal português Diário de Notícias é o contato constante com vídeos produzido pelos youtubers brasileiros, sendo Luccas Neto um dos mais conhecidos pelos "miúdos" portugueses. "Dizem grama em vez de relva, autocarro é ônibus, rebuçado é bala, riscas são listras e leite está na geladeira em vez de no frigorífico. Os educadores notam-no sobretudo depois do confinamento – à conta de muita horas de exposição a conteúdos feitos por youtubers brasileiros", publicou o jornal. O que não foi bem aceito por alguns pais portugueses da matéria é, na verdade, uma oportunidade única de alcance para criadores do nicho. E se você é um deles ou quer fazer parte dessa história, chegou a hora de beber direto da fonte de um especialista com mais de 800 mil inscritos! É ou não é uma chance sem igual?

CANAIS PARA CRIANÇAS

Os irmãos Leonardo de Souza e Ricardo de Souza estão há quase dez anos no YouTube com o canal de curiosidades Minuto da Terra, que ultrapassou os 800 mil inscritos, e o canal Laboratório 2000. Antes de fundar o próprio projeto, Leonardo trabalhou com Felipe Castanhari, do Canal Nostalgia.

Canal no YouTube:
/MinutoDaTerra e /laboratorio2000
Perfil no Instagram:
@ominutodaterra e @olaboratorio2000

ENSINAMENTOS DO ESPECIALISTA

FOTO: DIVULGAÇÃO

Leonardo G. Souza

Quanto tempo é necessário para um canal chegar à marca dos 800 mil inscritos? Quanto será que um youtuber deste tamanho ganha? Como um viral acontece? Não existe resposta absoluta para essas perguntas, mas descobrimos uma das possíveis após bate-papo exclusivo com Leonardo de Souza, que mostrou o backstage do Minuto da Terra, um dos canais fundados com o irmão Ricardo de Souza, em 2013. A conta surgiu quando Leonardo teve a ideia de criar a versão brasileira do canal *Minute Earth*, que reunia curiosidades sobre ciências em vídeos curtos e ilustrados, focados nos Estados Unidos. "No terceiro ano, o canal já estava com 38 mil inscritos", explica o expert. Foi quando tudo mudou! Quer aprender com a trajetória do canal que hoje já tem mais de 867 mil inscritos? Confira a seguir.

Com mais de 3 milhões de visualizações e 11 mil comentários, o vídeo "A difícil vida do macho entre as hienas" é o mais popular do canal.

O PRIMEIRO VIRAL

Em 2 de agosto de 2017, sem imaginar, Leonardo postaria o primeiro viral do canal. "O vídeo era sobre como na sociedade das hienas a fêmea é quem manda, e o macho está abaixo dela. Aquilo virou a maior briga nos comentários, de pessoas trazendo para a nossa realidade [...] Porém, foi ótimo", conta o especialista. Na época, Leonardo estava com a meta de atingir os 40 mil inscritos, pedindo aos amigos para seguirem o canal. Só que em questão de três dias ele já estaria na marca dos 100 mil!

RENDA DO YOUTUBE

Depois do boom causado pelo viral, superando a marca de 100 mil inscritos, mais seguidores foram chegando e, por consequência, a monetização dos vídeos começou a aumentar! No entanto, ela não é a única renda do especialista. "Com o Minuto da Terra, ganhamos na faixa dos mil dólares em ads. É um valor legal, mas não conseguimos viver apenas dele. Ainda mais que o canal é feito por mim e pelo meu irmão, então precisamos dividir e, hoje, dá uns R$ 5 mil a R$ 6 mil por mês. Porém, depende do conteúdo, que tenha os mesmos views ou mais", explica Leonardo. O expert também destaca as oportunidades além da receita gerada pelos anúncios, como parcerias com empresas que o encontram por meio do YouTube.

COMENTÁRIOS ENGAJADOS

Depois de tantos anos de experiência, Leonardo consegue identificar outros temas que engajam o canal – e os revela agora. "Outro tipo de conteúdo que gera bastante comentário e discussão? Vídeos sobre evolução! Por exemplo, tenho um sobre os primeiros peixes da Terra. Muitas pessoas já escrevem 'como assim viemos do peixe?' [risos]. Tem gente que chega brigando, mas também há comentários muito legais como 'eu não acredito nisso, mas acompanho, acho legal' ou 'não se esqueça de dizer que é uma teoria'. E realmente é, não posso dizer que Deus não existe e que viemos do peixe", explica o especialista. Apesar da responsabilidade de gerar conteúdo educacional para crianças e visitar assuntos que abordam desde religião e ciência até antropologia, Leonardo garante que vale a pena. "Eu fico feliz com a minha audiência, como esse público-alvo que acabei conquistando gosta do canal, comenta e compartilha. É muito gratificante", declara.

RENDA DO YOUTUBE

Falando em público-alvo, uma das dicas mais valiosas para o especialista foi conhecer bem a própria audiência, especialmente quando se trata de comportamento e de como ela absorve diferentes conteúdos. "Não adianta, por exemplo, fazer um vídeo de 20 minutos comigo e com um quadro branco atrás, como se fosse na escola mesmo. Eu sei que o público que me acompanha ali é do vídeo curto, algo rápido", revela Leonardo. Ele consegue comprovar o fato ao comparar com o seu outro canal, chamado Laboratório 2000, em que "a retenção do público é completamente diferente", além do design e do material serem voltados para espectadores mais velhos.

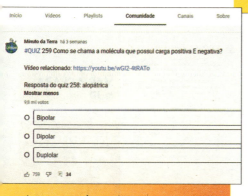

A enquete é um dos recursos mais poderosos da Comunidade. Só neste exemplo do Minuto da Terra, 9,8 mil votos foram divididos entre as três questões relacionadas ao vídeo do link!

O VALOR DA "COMUNIDADE"

Além da interação pelos comentários ter contribuído para o crescimento do Minuto da Terra, Leonardo garante que o recurso "Comunidade" é essencial para a conexão com a audiência do YouTube – principalmente no segmento infantil. "Se for um público mais novo, talvez seja mais legal ainda. Hoje, como adulto, fico feliz se sou fã de alguém e a pessoa me responde ou curte meu comentário. Quando é uma criança, que tem seus ídolos, você acaba fidelizando", explica. O especialista procura sempre postar enquetes sobre vídeos antigos na aba "Comunidade". Além de ser uma forma de reviver o conteúdo, a interação por lá "é muito boa", afirma. Curiosidades e cenas dos bastidores também são outras ideias de Leonardo para movimentar o espaço!

CANAIS PARA CRIANÇAS

TOP 5 CASES DE SUCESSO

"O YouTube Kids foi criado para proporcionar às crianças um ambiente mais controlado, que torna a exploração mais simples e divertida, além de facilitar a orientação dos pais e cuidadores à medida que descobrem novos e incríveis interesses ao longo do caminho". Essa é a definição que a própria página do YouTube para crianças entrega aos visitantes, sendo a mesma proposta de canais que se tornaram verdadeiros cases de sucesso no segmento. Confira a nossa seleção de nomes importantes no Brasil!

1 — LUCCAS NETO
INSCRITOS: **38.1 MILHÕES**
VISUALIZAÇÕES TOTAIS: + DE 19 BILHÕES

Apesar de ter viralizado na internet com o vídeo em que enchia uma banheira de Nutella, Luccas já era conhecido por ser irmão de um dos youtubers mais famosos do Brasil: Felipe Neto! Porém, diferentemente do maninho, ele decidiu criar conteúdo para um público ainda mais jovem e, hoje, já reúne 150 produtos licenciados para o segmento.

2 — MARIA CLARA & JP
INSCRITOS: **34.1 MILHÕES**
VISUALIZAÇÕES TOTAIS: + DE 19 BILHÕES

Tudo começou há seis anos, quando os irmãos decidiram compartilhar as próprias brincadeiras pelo YouTube com a ajuda da mãe, que mesmo sem saber gravar ou editar conseguiu unir conteúdo lúdico, divertido e educativo para crianças. Hoje, o canal se tornou marca, com produtos oficiais e parcerias com várias empresas conhecidas no mercado!

3 GALINHA PINTADINHA

INSCRITOS: 31.3 MILHÕES

VISUALIZAÇÕES TOTAIS: + DE 22 BILHÕES

Apenas um ano depois do surgimento do YouTube, Juliano Prado e Marcos Luporini postaram um videoclipe infantil na plataforma chamado "Galinha Pintadinha" como solução para uma reunião de trabalho que não poderiam estar presentes. Eles não contavam com a força do YouTube, que, mesmo naquela época, conseguiu reunir impressionantes 500 mil visualizações em 6 meses!

4 TURMA DA MÔNICA

INSCRITOS: 18.3 MILHÕES

VISUALIZAÇÕES TOTAIS: + DE 12 BILHÕES

Criados pelo cartunista Mauricio de Souza em 1959, os personagens Mônica, Cebolinha, Magali, Cascão e amigos ganharam um canal na plataforma em 2012 e servem, até hoje, de case de sucesso quando o assunto é conteúdo infanto-juvenil, com curiosidades, bastidores e séries exclusivas do canal, como Mônica Toy.

5 MUNDO BITA

INSCRITOS: 11 MILHÕES

VISUALIZAÇÕES TOTAIS: + DE 12 BILHÕES

Tão musical quanto a Galinha Pintadinha, o canal surgiu por acaso, quando Chaps Melo compartilhou os desenhos que tinha produzido para o quarto da filha. Entre os personagens, estava a figura com cartola na cabeça que se chamaria Bita e seria um sucesso no segmento!

CANAIS PARA CRIANÇAS

 ACESSE O YOUTUBE KIDS DIRETAMENTE DO CELULAR!

PASSO 1

Entre na loja de aplicativos do seu smartphone e escreva "YouTube Kids" na barra de busca. Depois, é só fazer o seu download gratuito!

PASSO 2

Após abrir o app, você vai encontrar esta tela. Clique em "Sou Pai/Mãe" para começar a experiência.

PASSO 3

Para ter acesso a mais recursos de controle dos pais, faça o login com o seu e-mail. Se preferir, você também pode clicar em "Pular".

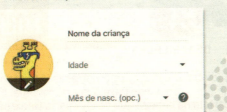

PASSO 4

Escreva o nome, idade e mês de nascimento do seu filho para criar o perfil que você e ele terão acesso.

FOTOS: REPRODUÇÃO/ INSTAGRAM

PASSO 5
O app será personalizado de acordo com a faixa etária escolhida. Aqui, também há a opção para os pais aprovarem o conteúdo por conta própria.

PASSO 6
A próxima tela explicará um pouco mais sobre os vídeos recomendados no app para a faixa etária. Clique em "Selecionar" para concluir.

PASSO 7
O perfil finalizado aparecerá como na imagem. Clicando em "+", é possível criar uma conta para outra criança.

PASSO 8
Esta é a tela em que o seu filho e você vão poder navegar no YouTube Kids!

YOUTUBE NA EDUCAÇÃO

A VEZ DOS
edutubers!

POR CAROLINA SALOMÃO | IMAGENS: SHUTTERSTOCK

SE EXISTE UM MERCADO QUE NÃO PAROU DE CRESCER APÓS A PANDEMIA FOI O DA EDUCAÇÃO A DISTÂNCIA. E OS EDUTUBERS SAEM NA FRENTE QUANDO O ASSUNTO É VENDA DE CURSOS ON-LINE. QUEM SÃO ELES? DESCUBRA AGORA!

Se antes da pandemia o YouTube já tinha um canal exclusivo para vídeos educacionais chamado YouTube Edu, fundado no final de 2013, agora a rede social pretende repaginar o projeto em parceria com a Organização das Nações Unidas para a Educação, a Ciência e Cultura (UNESCO). Em janeiro de 2022, o blog oficial da plataforma publicou que "serão consideradas a nova Base Nacional Comum Curricular (BNCC) e o Novo Ensino Médio brasileiros, expandindo-os também para todos os anos finais do Ensino Fundamental. Além disso, o projeto prevê a formação de professores, a fim de apresentar a nova plataforma YouTube Edu e orientar sobre seu uso em atividades pedagógicas". A decisão tem como um dos reflexos o crescente número de docentes que encontraram no app uma oportunidade de continuar a trabalhar durante o isolamento e, muitas vezes,

de começar o próprio negócio. Afinal, segundo o Relatório de Impacto do Youtube de 2020, realizado em parceria com a Oxford Economics, 100% dos alunos maiores de 18 anos que visitam o aplicativo, também o utilizam como apoio para tarefas ou estudos, além de 92% dos professores brasileiros afirmarem usar o conteúdo da rede em suas aulas. E quando os educadores dão um passo a mais e começam a compartilhar o próprio material no YouTube, ganham o título de edutubers, ou seja, professores que também são youtubers! Para desvendar a rotina desse grupo que está revolucionando o ensino, conversamos com Rodrigo Sacramento, dono do canal Plantão do Matemático e de uma coleção de mais de 200 fantasias. Não entendeu nada? Vem descobrir como esse projeto começou e se inspire nas estratégias do edutuber!

CAPÍTULO 8

YOUTUBE NA EDUCAÇÃO

Professor Sacramento

BATE-PAPO COM O ESPECIALISTA

Graduado em licenciatura em matemática na Universidade Estadual do Rio de Janeiro (UERJ), Rodrigo Sacramento ministra aulas em colégios e pré-vestibulares, além de ser uma celebridade da internet. Afinal, foi em meados de 2009 que o professor viralizou pelo Brasil após postar uma paródia para explicar conceitos matemáticos. "Ela bateu 300 mil visualizações, que para o YouTube da época era como milhões de views. Isso abriu portas para emissoras e programas de TV. Durante três anos, apareci na mídia e fiz mais paródias, enquanto desenvolvia as minhas aulas no magistério", explica Rodrigo. Em 2016, o professor já viajava 15 vezes ao ano por todo o país, reunindo entre 1 mil e 2 mil alunos em palestras sobre o ENEM. Porém, foi apenas em 2018 que o professor decidiu gravar as aulas – muitas delas vestido como personagens de série, filmes ou anime – e hospedá-las no YouTube. A partir disso, ficou claro para Sacra (como é conhecido entre os alunos) que ele também deveria criar o próprio curso on-line e, em 2019, criou a plataforma do Plantão do Matemático.

Coleção Marketing Online: Quando você percebeu que poderia ganhar dinheiro com o YouTube?
Rodrigo Sacramento: Quando comecei o canal, em 2018, o foco era fazer apenas uma vitrine. Porém, no final de 2019 pensei "tem muita gente tirando dinheiro do YouTube". Então, comecei a focar em gerar conteúdo e viralizar, justamente para tirar aquele valor do YouTube. Assim, ele também se tornou uma catapulta para o meu curso on-line.

CMO: Qual é a importância do canal para as vendas do curso?
RS: O canal é mais do que uma vitrine, ele é como entrar na loja! Penso que a vitrine é o Instagram. Já o YouTube é como realmente provar se a roupa fica boa ou não, se esse conteúdo serve ou não. Por isso, ele é essencial para a compra do curso.

CMO: Então, você acha que é possível se aprofundar mais no YouTube do que no Instagram?
RS: Os vídeos no Instagram são só uma degustação. Nenhum influenciador digital consegue entregar tudo pelo Instagram, a plataforma não comporta. Você pode ter um vídeo com vários minutos, pode ter as lives, mas aquela rede social não tem o modelo para isso. É a mesma coisa com o TikTok, você não consegue entregar tudo por lá. Hoje em dia, quem tem o modelo mais de curso é o YouTube.

CMO: O que você faz para viralizar tantos vídeos?
RS: O principal é o humor, que está relacionado à neurociência. É um ponto de liderança, não só o humor de ser engraçado, mas o bom humor. Ele conecta as pessoas de uma forma extraordinária! Então, eu aconselharia a pessoa a fazer algo neste sentido. Como uma paródia, a própria fantasia, ideias que vão chocar, mas que são engraçadas e não ofendem ninguém. E não tem como sair do vídeo na baixa! Tem que entrar e sair na alta, mas no meio precisa ter seriedade para conectar o conteúdo.

CMO: Falando em conteúdo, qual deles tem mais sucesso no seu canal?
RS: Essa é fácil... Vídeos de anime! Por exemplo, Naruto é golaço [risos]. Qualquer coisa do Naruto é legal.

CMO: Você pode dar exemplos de títulos ou chamadas para vídeos no YouTube que tenham uma alta taxa de cliques no seu canal?
RS: Pegue um conteúdo que seja muito difícil e escreva "dica infalível". E você realmente dá a dica infalível, aí o seu vídeo explode! Sem conteúdo não tem como, é ele que mantém tudo. Se não fosse assim, qualquer pessoa poderia usar a fantasia ou fazer a paródia que quisesse... Ela não consegue levar esse público para um curso. Pode até levar, mas depois não sustenta porque o aluno não tem o resultado que desejava.

CMO: Você acha necessário investir em tráfego pago no início?
RS: No começo, não precisa ter dinheiro. Então, você pode entregar de forma orgânica. Porém, vamos supor que a pessoa tenha uma quantia guardada, R$ 100 já ajudariam. Hoje em dia, tanto o YouTube quanto o Instagram restringem os conteúdos. Eles fazem isso, claro, de uma forma inteligente para justamente a pessoa pagar. Então, se você puder entregar a mais, acho que é sempre válido. Se não tiver, é sem dor! Qualquer pessoa consegue fazer esse trabalho digital mesmo sem dinheiro, começando no orgânico, mas conforme vai aparecendo alguma renda, você coloca nessa proporção e cresce devagar.

CMO: Você entende bastante de gatilhos mentais, como o da antecipação. Como usar essas técnicas no YouTube?
RS: No fim ou dentro das lives! São inserções de um quadro para outro. Por exemplo, na hora de apagar o quadro, eu sempre digo alguma coisa, porque é uma quebra, né? Assim, eles ficam com aquele senso de urgência.

"A pessoa que está começando não pode cair no erro de pensar que está atrasada, porque esse trabalho é muito relativo. Você pode explodir do dia para a noite!" – Prof. Rodrigo Sacramento

Dentre as fantasias do professor, está a do personagem de anime Naruto, um dos que mais engaja entre os alunos!

GATILHOS MENTAIS

É pensando nos efeitos que certos estímulos podem causar no inconsciente do ser humano que muitos especialistas do marketing não deixam de usá-los em suas campanhas! Afinal, os chamados "gatilhos mentais" fazem parte da habilidade de persuasão necessária para a conquista de uma venda, influenciando completamente na tomada de decisão do público-alvo. Se você já quis comprar um curso e não se sentiu satisfeito até conquistá-lo, saiba que a probabilidade de um ou mais desses gatilhos terem causado essa vontade é bem alta.

A explicação para o controle que o inconsciente assume nessas situações vem da análise sobre a "fadiga de decisões", condição que o cérebro adquire quando precisa realizar muitas escolhas em um curto espaço de tempo. E por muitas escolhas entenda 35 mil em um dia, segundo estudo sobre a população adulta dos Estados Unidos, divulgado pelo site do *The Wall Street Journal*. Sabendo disso, o marketing aplicou o fenômeno no universo dos negócios digitais, testando diversas técnicas de convencimento, entre as quais selecionamos quatro essenciais para os edutubers: autoridade, prova social, coerência e antecipação – a última, bastante usada pelo Prof. Sacramento! Descubra a definição de cada gatilho e como usá-los no app!

AUTORIDADE

Esse é um dos gatilhos mais importantes para a figura do professor, sendo construído a partir da relação de confiança entre o especialista e o público. E o melhor medidor de autoridade é justamente o número de vendas. Se você sente que o esforço para convencer os seus inscritos a comprarem o curso ou infoproduto diminuiu, é sinal de que você está no caminho certo dessa estratégia!
O FATO PODE ACONTECER PORQUE:

 Colegas importantes do nicho indicam o seu canal ou curso. Quando uma pessoa que já é autoridade para um espectador sugere outro especialista, 50% do caminho para a conquista da confiança é construído. O próximo passo é manter-se neste ritmo, mostrando os benefícios do seu trabalho.

 A própria produção de conteúdo mostra que você domina o assunto e pode ser considerada uma autoridade no nicho. Além disso, não deixe de esclarecer as dúvidas da sua audiência com frequência. Para isso, aposte nas lives de revisão e correção de provas!

 Há bastante prova social, que são comentários positivos de alunos e clientes sobre o seu produto ou serviço. Ela ajuda (e muito!) na construção da autoridade. Como conquistá-la cada vez mais? Aprenda a seguir.

COMPROMISSO OU COERÊNCIA

Em geral, o ser humano busca cumprir com o que prometeu realizar, estabelecendo a coerência entre suas falas e os seus atos. Por isso, é comum escutar dos experts frases do tipo "conto com você neste desafio", em e-mails e mensagens disparados para convocar os inscritos à semana de lives pré-lançamento. O gatilho também ocorre no remarketing. Por exemplo, como as marcas costumam agir quando um comprador em potencial seleciona os produtos que planeja adquirir no carrinho, mas os abandona? Elas o lembram do compromisso de completar a compra, enviando um e-mail para recuperar o contato. Na página ao lado, veja um exemplo da Amazon Brasil, separado pelo blog da Mandae.

PROVA SOCIAL

Um dos gatilhos mais apreciados pelos especialistas, a prova social se resume em depoimentos satisfeitos de alunos que já acompanham o seu canal há bastante tempo e conquistaram a transformação desejada. Esse estímulo se assemelha ao das indicações de colegas do nicho, auxiliando na captura de clientes em potencial (leads) que ainda não conhecem o seu trabalho com a mesma profundidade de quem oferece as provas sociais.

EXEMPLOS DE COMO ATIVÁ-LO:

 Os comentários do próprio YouTube podem oferecer provas sociais valiosas de inscritos e clientes que acompanham o seu trabalho.

 Use e abuse desse gatilho se você já passou por um lançamento de sucesso. Não deixe de recolher depoimentos em pesquisas no pós-venda para usá-las em todas as suas redes.

 Esses comentários também podem aparecer em grupos do nicho nas redes sociais. É uma forma espontânea e bastante eficiente de chamar mais pessoas para conhecer o seu trabalho.

ANTECIPAÇÃO

Esse gatilho nada mais é do que a prévia do seu produto. Você pode encontrar exemplos da técnica nos melhores trailers do cinema! Assim como os teasers, a antecipação no mundo dos negócios digitais irá aumentar as expectativas e, por consequência, a ansiedade pela data da estreia/abertura do carrinho. Uma boa ideia dentro do YouTube é agendar a live com antecedência, principalmente se ela fizer parte da Semana do Desafio, usando o recurso da contagem regressiva que avisa os usuários sobre o início da transmissão.

EXEMPLOS DE COMO ATIVÁ-LO:

 Conte um pouco sobre o que os alunos vão encontrar nos módulos do curso, ou nos capítulos do e-book, ou ainda combine uma live para conversar sobre os seus planos com os inscritos.

 Hoje em dia, diversos especialistas investem na produção de trailers próprios para o infoproduto, cheios de efeitos especiais, trilhas sonoras e roteiros bem trabalhados. Dignos de cinema!

 Se você fará um desconto imperdível, um bônus especial ou uma estratégia completamente diferente das outras, que tal antecipar as novidades para estimular a curiosidade do público?

YOUTUBE MUSIC

YOUTUBE E A INDÚSTRIA
musical

POR CAROLINA SALOMÃO | IMAGENS: SHUTTERSTOCK

DE ESTREIAS DE VIDEOCLIPE A TRANSMISSÕES DE SHOW
AO VIVO, O YOUTUBE SE TORNOU UM DOS PALCOS MAIS
IMPORTANTES DA MÚSICA NO DIGITAL. QUER SABER COMO
O APP INFLUENCIA NO CRESCIMENTO DE ARTISTAS QUE
APOSTAM NA PLATAFORMA? VIRE A PÁGINA E DESCUBRA!

Se antes do YouTube era preciso esperar pelas emissoras de TV, como MTV e Multishow, para assistir aos videoclipes mais populares do momento, depois do surgimento da ferramenta ficou mais fácil de acessar os vídeos dos seus artistas favoritos. Essa união funciona tão bem que, até hoje, a maioria dos lançamentos ocorrem pelo aplicativo! Tanto que o posto de maior canal do Brasil é de uma produtora do audiovisual: a KondZilla conseguiu reunir mais de 66 milhões de inscritos e entrou para o TOP 20 mundial na 24ª posição, superando artistas como o DJ norte-americano Marshmello. No entanto, apesar de o YouTube e a indústria musical andarem lado a lado desde o início, foi apenas em setembro de 2018 que o YouTube Music chegou ao Brasil a fim de competir com outras plataformas do ramo. E deu certo! Se-

gundo pesquisa realizada pela MIDiA Research, o aplicativo apresentou um crescimento de 50% em 2021, ultrapassando concorrentes como Apple Music (25%) e Spotify (20%), além de firmar pelo segundo ano consecutivo o lugar de streaming de músicas que mais evoluem 12 meses. "Muitos de meus amigos da indústria musical perguntam por que vim trabalhar para o YouTube [...] Vim trabalhar para o YouTube porque acredito em seu potencial para ajudar a conduzir uma era de ouro para o mundo da música [...] Construir a melhor experiência musical para os fãs e capacitar todos os artistas a desenvolver suas carreiras são essenciais para nós", declarou o próprio Head Global de Música do YouTube, Lyor Cohen, em comunicado assinado em 2021. Preparado para descobrir qual é a visão de um artista sobre a rede social?

CAPÍTULO 9

YOUTUBE MUSIC

Em 2009, Max e Luan se uniram como dupla sertaneja. Já em 2011, eles gravaram o primeiro álbum só com composições autorais e, em 2019, viria o primeiro DVD da carreira – tudo divulgado no YouTube. Hoje, eles reúnem mais de 260 mil inscritos no canal e é por lá que os dois estreiam os videoclipes de cada projeto!

Canal no YouTube: /MaxeLuan
Perfil no Instagram: @maxeluan
Website: https://maxeluan.com.br/

ENSINAMENTOS DOS ESPECIALISTAS

Max & Luan

FOTO: DIVULGAÇÃO

Nascidos em Minaçu (GO), os amigos Max e Luan se conheceram em 2007 por meio de amigos em comum e, em 2009, já estreavam como dupla sertaneja em bares da cidade. Uma década depois, os dois já haviam conquistado os primeiros hits, uma legião de fãs e um canal de sucesso no YouTube! "Começamos a usar o YouTube profissionalmente em 2018, também pensando em nossa renda pessoal e na da empresa. Ele se tornou uma grande ferramenta de trabalho para nós", afirma Max. No mesmo ano, a dupla usou a plataforma para lançar o primeiro DVD da carreira, Esqueminha, e em 2019, o primeiro single do projeto, Mendigando Amor. Foi graças a essa construção no digital que Max e Luan conseguiram superar o período mais difícil para negócios físicos ao redor do mundo – incluindo o mercado do entretenimento.

LIVES NA PANDEMIA

Apenas dois anos após a estreia de Max e Luan no YouTube, ninguém poderia imaginar que o mundo seria forçado a um isolamento social sem precedentes, fechando portas de escolas, estabelecimentos e, claro, festivais! "Em 2019, nós trabalhamos bastante a primeira música do DVD, mas depois veio a pandemia. Nessa época, o que manteve o nosso projeto e os lançamentos de música foi o YouTube, entre outras plataformas digitais. Então, nós tínhamos essa renda mensal do digital", explicou Max, apoiado por Luan: "E foi assim durante a pandemia inteira! Com esse dinheiro, conseguíamos lançar músicas, gravar clipes... Esse incentivo é muito importante para o artista". De fato, uma das maneiras encontradas por intérpretes de todo o mundo para driblar a impossibilidade dos shows ao vivo foi o recurso das lives no YouTube! A estratégia deu tão certo que o começo de 2020 foi marcado pelo boom das apresentações remotas, com diferentes formatos de performance.

LANÇAMENTOS

Mesmo com mais de 12 anos de carreira e usando uma plataforma com métricas como as do YouTube, os dois afirmam ser impossível prever o próximo hit da rede social – e os números que chegam com ele. Por isso, os dois contam com a parceria de empresas especializadas em mídias digitais e orientam: para continuar crescendo, é preciso investir na administração do canal. "Então, se tornou um grande negócio! Hoje, nós temos uma equipe muito grande e competente, porque à medida que você cresce, precisa contratar pessoas", aconselha Luan.

DE OLHO NOS COMENTÁRIOS

Perguntados se eles acompanhavam o canal de perto apesar de manterem uma equipe de mídias sociais, Max afirmou ser bastante preocupado com as interações dos espectadores, usando os comentários da rede para entender se o público consome e aprova o conteúdo da dupla. "Eu vivo o Max e Luan 24h por dia! Acordo e durmo olhando os números, os comentários, vendo o crescimento [do canal]. Tento entender o que fazemos de certo e o que está errado", contou. Porém, todo criador da plataforma que tenha o tamanho deles precisa aprender a navegar pelo hate da internet, ou seja, posts de ódio ou críticas sem motivo – muitas vezes, escritos por perfis falsos. "É lógico que tem alguns comentários maldosos, mas não podemos bitolar em tudo que se vê! Então, você precisa analisar a mensagem para ver se ela é relevante e descobrir se você errou mesmo. As construtivas, nós sempre gostamos de ler", afirmou Max.

CHECKLIST DO CANAL DO ARTISTA

Você sabia que existe uma forma de oficializar o seu canal de artista? Confira a seguir os principais requisitos pedidos pelo Google. Não perca mais tempo!

✔ Manter ativo um canal do YouTube que represente um artista ou uma banda

✔ Ter, pelo menos, três lançamentos oficiais no YouTube fornecidos e distribuídos por uma editora ou uma distribuidora de música

✔ O canal precisa respeitar as diretrizes do YouTube, incluindo as Políticas de Direitos de Autor da plataforma.

Também é preciso preencher um ou mais dos requisitos abaixo:

✔ Trabalhar com um gestor de parceiros do YouTube

✔ Fazer parte do Programa de Parcerias do YouTube (YPP)

✔ Pertencer a uma rede de editoras que trabalha com um gestor de parceiros

✔ A sua música deve ser distribuída por um parceiro de música incluído no Diretório de Serviços do YouTube Para Parceiros de Música.

Vale lembrar que:

✔ O lançamento ativo de música nova não é requisito para pedir um canal oficial de artista

✔ Se você já faz parte do YPP, saiba que é possível entrar em contato com a equipe de apoio técnico para criadores, fornecido pelo próprio app.

CURIOSIDADE

No YouTube Analytics para artistas é possível ter acesso ao desempenho de vídeos carregados pela gravadora ou pelo VEVO, assim como os de outros canais e vídeos curtos que utilizam a música do cantor.

YOUTUBE MUSIC

OS NÚMEROS DA MÚSICA NO YOUTUBE

1º É O LUGAR da música sertaneja na lista das mais ouvidas de 2021, com Batom de Cereja da dupla Israel e Rodolffo como videoclipe brasileiro mais acessado na plataforma.

20 BILHÕES de reais foi o investimento do YouTube na indústria da música de junho de 2020 a junho de 2021!

7,9 MILHÕES é a quantidade de visualizações do videoclipe mais popular da plataforma, excluindo hits infantis como Baby Shark Song. A marca pertence ao vídeo da música Despacito, de Luis Fonsi feat. Daddy Yankee.

138 MILHÕES de brasileiros usam o YouTube (usuários acima dos 18 anos)

30% DOS 20 BILHÕES de reais pagos pelo YouTube à indústria musical vieram de conteúdo gerado pelo usuário (UGC).

8 DAS 10 lives mais assistidas no mundo durante a pandemia foram brasileiras.

50 MILHÕES de assinantes foi o número ultrapassado pelo YouTube Music e Premium em 2021 – contando os usuários de teste.

3,31 MILHÕES de visualizações foi a marca atingida pela live mais popular de 2020, produzida por Marília Mendonça na própria sala de casa, no dia 8 de abril de 2020.

65 MILHÕES de inscritos foi o que levou o grupo de k-pop BLACKPINK a tomar o posto de Justin Bieber no pódio de artista musical mais seguido no app em 2021.

COMO ACESSAR A GUIA DIREITOS AUTORAIS

Atenção, youtubers e editores de vídeo! Mesmo que você não trabalhe com uma conta oficial de artista, é importante estar ciente sobre as regras de copyright, ou seja, direitos de imagens e som dos vídeos postados no aplicativo. Para o editor Lucas Sales, essa é a principal diretriz na lista de cuidados de quem trabalha com o YouTube. "Isso vai influenciar diretamente no canal do cliente. Por exemplo, se você usar uma música sem ter o direito autoral dela e postar o vídeo, você pode até perder o canal, dependendo do tipo de aviso que você recebe", explicou o videomaker. Saiba como conferir se o seu canal recebeu algum desses alertas recentemente – além de outras funções relacionadas ao tema!

PASSO 1
No seu computador, acesse https://studio.youtube.com/ e faça login com a conta do canal desejado.

PASSO 2
Essa é a tela principal do YouTube Studio. Role a barra do Menu no canto esquerdo até encontrar "Direitos Autorais".

PASSO 3
Aqui, você tem acesso às abas de:
- **Correspondências:** É a primeira tela da guia e consiste em reunir todos os vídeos de outros canais que usaram o seu conteúdo.
- **Pedidos de remoção:** A aba apresenta todos os pedidos de remoção de conteúdo por direitos autorais que você realizou. Também há um link para a lista de reivindicações que alguém possa ter registrado nos seus vídeos.
- **Mensagens:** Aqui, você tem acesso aos vídeos de outros criadores para quem você enviou e-mail.
- **Arquivo:** Os vídeos movidos como arquivo ficam guardados neste espaço.

PODCAST

O HYPE DO
momento!

POR CAROLINA SALOMÃO | IMAGENS: SHUTTERSTOCK

COM MAIS DE 30 MILHÕES DE OUVINTES NO BRASIL, O NÚMERO DE NEGÓCIOS DIGITAIS QUE APOSTAM NO PRÓPRIO PODCAST CRESCEU TANTO QUE SOMOS O TERCEIRO PAÍS NO MUNDO A CONSUMIR ESSE FORMATO – E O YOUTUBE TEM UM PAPEL ESSENCIAL NESSE FENÔMENO. DESCUBRA COMO A SUA MARCA PODE SURFAR NESSA ONDA!

Se há alguns anos era complicado ter acesso aos podcasts, com o surgimento dos streamings de música e de outras plataformas digitais ficou mais fácil de seguir os canais que apostam neste modelo – e, quem sabe, produzir o seu. Afinal, um podcast nada mais é do que conteúdo entregue em forma de áudio, similar aos programas de rádio. Segundo pesquisa publicada em março de 2022 pelo site da Exame e realizada pela plataforma CupomValido.com.br, o Brasil só fica atrás da Suécia e da Irlanda quando o assunto é consumo de podcast. Além disso, mais de 40% dos brasileiros responderam que já haviam escutado ao menos um podcast nos últimos 12 meses, enquanto a Suécia, que detém o primeiro lugar do ranking, apresenta uma taxa de 47% – apenas 7% a mais do Brasil! Ainda na América Latina, Chile e México também se destacam, com uma média que variou entre 30% e 39%. Em contrapartida, os países com menos aceitação do modelo foram Japão, Taiwan, Malásia e Paquistão, com aproximadamente 5%. Ainda, o estudo mostra que a maioria dos ouvintes do Brasil prefere escutar os episódios enquanto realiza outras atividades. Apesar disso, os negócios que escolhem transmitir o conteúdo apenas pelos streamings de áudio acabam perdendo a chance de se conectar ainda mais com o público por meio das imagens – além de perderem a monetização dos vídeos do YouTube. Quer começar com o pé direito ou turbinar o seu podcast na plataforma de vídeos? Nós garantimos: é mais fácil – e barato – do que você imagina!

CAPÍTULO 10

PODCAST

Designer gráfico e expert em podcasts, Gabriel Tuller é fundador do Cosmódromo Studio, professor convidado na plataforma de marketing digital d'O Novo Mercado, além de já ter trabalhado em projetos com as marcas iFood, Flow, PodPah, entre outros.

Canal no YouTube: /GabrielTullerpodcast
Perfil no Instagram: @gabrieltuller
Website: https://gabrieltuller.com.br/

ENSINAMENTOS DO ESPECIALISTA

FOTO: DIVULGAÇÃO

Gabriel Tuller

A história de Gabriel Tuller com o YouTube é bastante longa! Consumidor ávido da plataforma desde 2009, o especialista sentiu a necessidade de produzir o próprio conteúdo na rede e o tema escolhido foi uma de suas outras paixões: os podcasts! "Não havia tantas pessoas fazendo esse tipo de material no Brasil, ou se fazia pouco, ou faziam e paravam, ou era algo muito superficial e genérico. Então, decidi começar a produzir a partir do meu incômodo pessoal". Hoje, com 5 anos de experiência na área, Gabriel já trabalhou com diversos podcasts, como Flow e PodPah, dois dos maiores do YouTube Brasil. Além disso, ele mantém o canal que leva seu nome, o próprio curso chamado "Crie Seu Podcast", entre outros serviços. Quer aprender mais sobre esse universo? Então, confira a nossa conversa a seguir!

✓ YOUTUBE PARA NEGÓCIOS

"O canal no YouTube para um negócio digital é a melhor forma de você manter relacionamento com o seu potencial cliente, com a pessoa que está buscando o que você tem a oferecer, já que a rede social é a segunda maior ferramenta de busca que temos hoje no mundo, sendo o Google a primeira".

✓ POR QUE ESCOLHER O YOUTUBE PARA O SEU PODCAST?

"O YouTube é um local que dificilmente terá só assuntos do trending (do momento). Se eu tiver alguma dúvida, posso pesquisar na plataforma e encontrar com mais facilidade do que em outras redes sociais. Como um assunto de um ou dois anos atrás que permanece atual por mais tempo".

✓ A MONETIZAÇÃO DO PODCAST

"A melhor forma de você monetizar um podcast é entrar em contato e fazer networking com pessoas que são estratégicas para o seu negócio. Eu, como designer ou editor de vídeo, posso convidar outros designers e editores de vídeo. Depois daquele papo, é possível trocar contatos e em algum momento posso indicar aquela pessoa ou ele pode me indicar para algum serviço".

A MONETIZAÇÃO DO PODCAST – PARTE 2
"Outra forma de monetizar o podcast é vender o seu serviço para os próprios ouvintes, porque como o relacionamento é criado por meio desse formato, você tem a confiança daquele ouvinte no seu trabalho, o suficiente para ele contratar você. Então, mais do que atingir o maior número de downloads ou público, essa qualificação dos seus ouvintes vai trazer bons clientes a médio prazo".

POUCO DINHEIRO PARA O TRÁFEGO: E AGORA?
"Para investir pouco em tráfego, você vai aumentar principalmente a sua base. Ou seja, vai atingir mais pessoas. Talvez elas não sejam tão qualificadas quanto você gostaria, mas acredito que a melhor forma de fazer isso é aumentando o conteúdo de topo de funil, falando propriamente de marketing. Assim, você atinge mais pessoas até que consiga segmentar melhor o seu público. Então, é possível começar com pouco, não precisa investir muito dinheiro, mas é necessário ter uma estratégia específica para isso".

O QUE TODO PODCAST DE SUCESSO TEM?
"Primeiro, precisa ter constância no trabalho que você se propôs a realizar. Segundo, a paciência de fazer esse conteúdo dar certo, porque os resultados não vêm tão rápido quanto gostaríamos. E terceiro, o assunto principal precisa agregar diretamente ao seu negócio ou àquilo que você tem a oferecer para os possíveis clientes. Não adianta se encher de pessoas famosas, mas não ter um assunto relevante para aquele público".

PODCAST

- **O que é:** Transmissão ao vivo ou gravada que pode ser em áudio ou em vídeo.

- **Plataformas:** Além do YouTube, que também oferece a experiência visual, você pode encontrar os podcasts mais famosos em serviços de streaming de áudio como Spotify, Itunes, Google Podcasts e Deezer.

- **Duração:** O tempo varia bastante de acordo com cada podcast e convidado, mas geralmente dura entre uma e três horas.

- **Formatos:** Segundo pesquisa da plataforma CupomValido.com, o formato mais popular entre os brasileiros é o de entrevista com convidados (55%), seguido pela narrativa de histórias e por mesas redondas, em segundo e terceiro lugares respectivamente. De fato, os maiores canais de podcast do YouTube Brasil são de bate-papo com especialistas e famosos de diferentes nichos.

PODCAST

TOP 7 PODCASTS BRASILEIROS

Conheça alguns dos podcasts mais famosos e amados do YouTube Brasil e inspire-se!

6,03 MILHÕES INSCRITOS
VISUALIZAÇÕES: + DE 526 MILHÕES

1. PODPAH

Comandado por Igor Cavalari, mais conhecido como Igão, e Thiago Marques, o Mítico, esse podcast já recebeu convidados como Whindersson Nunes, Maisa, entre outros.

4,48 MILHÕES INSCRITOS
VISUALIZAÇÕES: + DE 487 MILHÕES

2. FLOW PODCAST

"Flow Podcast é uma conversa descontraída, longa e livre, como um papo de boteco entre amigos". É assim que o próprio site da marca se define. Comandado por Igor Coelho, o podcast já recebeu políticos como Ciro Gomes, atletas como Ronaldo Fenômeno e artistas como Alok.

1,78 MILHÕES INSCRITOS
VISUALIZAÇÕES: + DE 71 MILHÕES

3. PODCATS

Tendo como hosts a youtuber mulher mais seguida do Brasil, Camila Loures, e a influenciadora Virginia Fonseca, o podcast é mais focado em entrevistas com personalidades do entretenimento.

4. INTELIGÊNCIA LTDA.

Inscritos: 1,74 milhão
Visualizações: + de 31 milhões

Rodrigo Vilella aborda diferentes assuntos. Os episódios sobre crimes e serial killers, com a psiquiatra Ana Beatriz Barbosa e a escritora Ilana Casoy, fizeram bastante sucesso.

5. VENUS PODCAST

Inscritos: 879 mil
Visualizações: + de 48 milhões

O podcast é guiado por Criss Paiva e Yasmin Yassine. Entre os episódios mais assistidos do canal estão conversas com humoristas como Leandro Hassum, Paulo Vieira, Bruna Louise e Fabio Porchat.

6. OS SÓCIOS PODCAST

Inscritos: 630 mil
Visualizações: + de 46 milhões

Apesar do foco em negócios e investimentos, o casal Bruno e Malu Perini também passeia por temas como política e relacionamento, recebendo convidados como Bianca Andrade e João Doria!

7. PRIMOCAST

Inscritos: 492 mil
Visualizações: + de 31 milhões

Thiago Nigro sai do canal Primo Rico para apresentar o podcast no YouTube. Com foco em finanças, investimentos e empreendedorismo, ele recebe CEOs e investidores e famosos da internet.

PODCAST EM CASA: PASSO A PASSO

Saiba como começar o seu próprio podcast no YouTube e em outras plataformas digitais – usando apenas o celular e com baixo investimento.

1. CONTEÚDO

Segundo Gabriel, o primeiro pensamento de quem planeja criar um podcast deve ser sobre a estratégia de conteúdo, ou seja, definir o formato do projeto. "Vai ser de entrevistas com pessoas da sua área? Ou de assuntos específicos em que você convida pessoas?", sugere o expert.

2. EQUIPAMENTO

Depois de escolher o formato do podcast, a segunda etapa consiste em buscar os equipamentos, em especial o microfone. E Gabriel garante que é possível comprar um aparelho de qualidade com baixo investimento. "Hoje, nós temos uma vasta opção de microfones USB para conectar ao notebook ou computador. Eles entregam um resultado excepcional a um orçamento mais limitado. Porém, se você tem apenas o celular, eu recomendo usar um microfone de lapela para ajudar na qualidade desse áudio", indica o especialista.

3. GRAVAÇÃO

Já na fase de gravação, Gabriel afirma que é possível usar os próprios recursos disponíveis atualmente, como a live do Instagram. "Ela pode ser convertida no formato de podcast depois. Assim, facilita para você na hora de produzir e para a pessoa na hora de receber, de ser um convidado para o seu conteúdo", explica o especialista. Outra maneira de gravar o seu projeto é pela live do YouTube. Para puxar o áudio da transmissão e distribuir o conteúdo pelas plataformas digitais, ele indica o uso gratuito do site Streamyard.

4. EDIÇÃO

Gabriel garante que existem formas de conquistar um resultado equivalente ao de um podcast profissional – sem gastar nada por isso! "Para notebook e computador, você tem algumas opções gratuitas como o Audacity. Além disso, existe o Reaper, que é um software utilizado pelos próprios produtores musicais. É bem interessante porque você pode usar um programa profissional gratuitamente para editar o áudio do seu podcast", indica o especialista.

5. PUBLICAÇÃO

Você sabia que o próprio Spotify tem um aplicativo para a publicação do conteúdo? Quando se trata de usar os serviços de streaming, você pode contar gratuitamente com o Anchor. "Você faz o upload do áudio ali e o recurso já vai distribuir para todas as plataformas. Você terá o seu programa no Spotify tranquilamente em menos de 30 minutos!", garante Gabriel Tuller.

ESTÚDIO EM CASA

VISUAL QUE
engaja

POR CAROLINA SALOMÃO | IMAGENS: SHUTTERSTOCK

SERÁ QUE UMA IMAGEM REALMENTE VALE MAIS DO QUE MIL PALAVRAS? NESSE CAPÍTULO, VOCÊ IRÁ DESCOBRIR POR QUE A FRASE DO FILÓSOFO CHINÊS CONFÚCIO CONTINUA A FAZER SENTIDO NOS DIAS DE HOJE E, EM ESPECIAL, NO UNIVERSO DO YOUTUBE!

Antes de qualquer definição, o YouTube era um aplicativo voltado para vídeos caseiros. Hoje, o app conquistou a posição de marca bem consolidada entre as grandes ao unir a produção de imagens cada vez mais profissionais ao mundo dos negócios. Esse casamento entre marketing e uma ferramenta tão visual tem explicações de diversas áreas da Ciência. Uma delas veio do estudo *The Power Of Visual Communication* (O Poder da Comunicação Visual, em tradução livre para o português), publicado pela multinacional de tecnologia da informação Hewlett-Packard (HP), em que 80% dos entrevistados mostraram reter mais informações originadas do que elas veem e fazem, 20% do que elas leem e apenas 10% do que elas escutam. A análise continua ao entregar a ordem decrescente dos conteúdos mais aptos a permanecerem na memória do usuário: puramente verbal (oral); verbal, mas escrito; palavra escrita, mas tratada de forma visual (balões, cores etc.); material escrito, mas transformado em visual (gráficos, infográficos etc.); e, no topo, conteúdos puramente visuais. Quer mais uma boa notícia para quem trabalha com audiovisual e o YouTube? Você não precisa de uma estrutura complicada, cara e grande como a dos programas de televisão e rádio. Na verdade, é possível criar o seu estúdio no próprio quarto, graças às ferramentas da própria plataforma e novas tecnologias que descomplicaram todo esse processo. E não acaba por aqui: os equipamentos estão cada vez mais acessíveis e adaptados para ambientes caseiros, alguns já bastante famosos no meio. Saiba quais são eles e como começar a profissionalizar o seu trabalho em casa!

CAPÍTULO 11

ESTÚDIO EM CASA

ESTÚDIO CASEIRO

Se antes da pandemia os youtubers já estavam craques no assunto, imagina agora! Após o período de quarentena e a impossibilidade de contar com espaços profissionais, o jeito foi se arranjar com os equipamentos mais práticos do mercado e contar com (muita!) criatividade. Não fique para trás e aprenda os pontos mais importantes para transformar a sua própria casa em um estúdio de verdade!

Iluminação

Muitos fotógrafos profissionais e personalidades acostumadas com o trabalho no YouTube afirmam que a melhor luz é a natural. Porém, não dá para modificá-la como desejar ou mudar de intensidade com o passar do dia. Pensando nisso, muitos deles começaram a apostar em ring light, tripé longo e opções de luz fria (branca) e luz quente (amarela) para mais possibilidades de gravações. "A primeira coisa que eu diria para você investir é iluminação! Comprar uma ring light ou uma soft box. Porque a iluminação vai dar mais liberdade para você gravar, independentemente do horário do dia. Se for de manhã, à tarde ou à noite, ou se o sol sumir... Você não fica dependente da luz natural", explica Francielle Mianes, expert em YouTube Marketing. Outra opção é a lanterna de jardim. Econômica e fácil de ser encontrada, elas ainda trazem a vantagem da troca de lâmpadas de forma simples.

Áudio

O segundo passo é pensar no áudio do seu vídeo e providenciar um microfone de qualidade. O microfone de lapela funciona tanto em câmeras quanto em celulares. Também existem os microfones USB, alternativas que demandam maior investimento.

Câmera

Apesar do investimento em uma câmera profissional ser prioridade para alguns iniciantes no YouTube, essa preocupação deveria estar em terceiro lugar, logo após iluminação e áudio. Afinal, é possível começar o canal apenas com as filmagens do próprio celular, já que atualmente a maioria dos smartphones tem uma qualidade muito boa de captação de áudio e vídeo.

Cenário e fundo

É importante que o espaço esteja sempre organizado, atrativo e que represente a sua personalidade. Se optar por um lugar com bastante iluminação natural, talvez nem precise de equipamentos de luz. Porém, se você não quiser nenhuma incidência de luz externa ou quiser ter a opção de manipular a iluminação, prefira um espaço mais fechado. Escolha um ambiente silencioso e amplo (pelo menos, de 10 a 15 m²) para poder movimentar os equipamentos e móveis, e que tenha uma distância entre você e a parede para não ficar muita sombra.

Elementos do vídeo

Outro detalhe que parece sem importância, mas faz toda a diferença, é decidir se você irá gravar sentado ou em pé, além de escolher os objetos de decoração com criatividade. Você pode colocar prateleiras, plantinhas ou um vaso por perto para dar mais vida ao ambiente. Quadros na parede também são bem interessantes! Outra ideia é colocar um pisca-pisca ou uma mangueira de luzes LED para trazer um pouco mais de cor ao seu cenário.

Tripé

Cliques e vídeos tremidos, tortos ou fora de foco são imperdoáveis nesse meio – e facilmente solucionados! Basta providenciar um tripé para o posicionamento ideal da câmera ou celular. A dica é escolher um que permita gravar vídeos tanto horizontalmente quanto na vertical – pensando nos Shorts, por exemplo. Além disso, é interessante ele ter cabeça hidráulica, possibilitando movimentos mais suaves na hora de mudar o enquadramento da cena. E falando em enquadramento, essa é mais uma questão relevante para quem trabalha com vídeos! Então, o ideal é que você faça testes em diferentes lugares, ângulos e fundos até encontrar o espaço mais satisfatório para você.

Figurino, acessórios e penteado

Brinque com o contraste entre figurino e fundo! Por exemplo, se você estiver em um ambiente branco, a escolha de uma blusa na mesma cor fará com que você se apague ligeiramente no vídeo. Para gravações mais formais como as de um curso, aposte em figurinos neutros, acessórios pequenos e penteados atemporais. A ideia é que o material possa ser utilizado a longo prazo e não se torne datado por escolhas baseadas nas tendências do momento. Claro, tudo isso sem deixar a sua personalidade de lado! Se você sempre aparece com o cabelo, unhas ou acessórios coloridos, por exemplo, será estranho optar pelo neutro nesses quesitos, já que a sua audiência está acostumada a ver você assim.

Stills

Se você vende mercadorias pela internet e quiser incluir imagens em seu vídeo para divulgá-los com mais detalhes, aposte na produção de stills – fotos de produtos soltos. Basta usar cartolinas nas cores desejadas – as mais comuns são branca e preta – prendendo-as em um pedaço de parede e estendendo-as até uma mesa, sem deixar que dobre. Depois, em frente ao objeto, deixe uma luz à direita e outra à esquerda, de maneira que as lâmpadas não apareçam na foto. Tenha cuidado também para não fazer sombras, mas, se isso acontecer, a dica é mudar a posição das luzes.

TÉCNICAS DE SEO PARA YOUTUBE

YOUTUBE SEO

POR CAROLINA SALOMÃO | IMAGENS: SHUTTERSTOCK

SE VOCÊ AINDA NÃO INCLUIU AS TÉCNICAS DE SEO NA ESTRATÉGIA DE MARKETING DO SEU NEGÓCIO, ENTENDA AGORA A IMPORTÂNCIA DELAS PARA A VISIBILIDADE DE UM CANAL DO YOUTUBE. JÁ PENSOU SE VOCÊ ESTIVER PERDENDO INSCRITOS – E DINHEIRO! – POR CAUSA DESSE DETALHE?

Você pode até ter escutado sobre o termo, mas consegue explicar para alguém o que é SEO? A sigla em inglês significa *Search Engine Optimization* e consiste em um conjunto de técnicas do Marketing Digital para melhorar a visibilidade de uma página nos motores de busca, com foco na otimização da experiência do usuário. Ou seja, a estratégia de SEO ajuda a subir no ranking de resultados da pesquisa, trazendo diversos benefícios para o seu negócio, como o aumento do tráfego orgânico no seu site ou canal. Sendo o YouTube o segundo maior buscador do mundo, atrás apenas do próprio Google, estudar estratégia de SEO se tornou essencial para os criadores e marcas que querem melhorar o alcance do conteúdo! "Quando falamos em You-Tube, falamos de plataforma de buscas.

Então, você precisa fazer esse trabalho de otimização para que os seus vídeos apareçam nas pesquisas. Porque se o seu vídeo não aparece nas buscas, você não é visto e fica um trabalho feito à toa", explica Francielle Mianes, especialista em YouTube marketing. Além disso, segundo Rafael Kiso da mLabs, o YouTube também seria a segunda maior mídia social se realmente fosse considerado como uma, perdendo somente para o WhatsApp e superando até mesmo o número de usuários do Instagram e Facebook no Brasil. "O bom do YouTube é que ele tem uma audiência incrível [...] Então, ele oferece uma captação muito grande em todos os segmentos, todas as áreas, gêneros e idades", afirma o especialista. Pronto para entender a estratégia de SEO de uma vez por todas?

CAPÍTULO 12

TÉCNICAS DE SEO PARA YOUTUBE

POR QUE O YOUTUBE DEVE FAZER PARTE DA SUA ESTRATÉGIA DE SEO?

Sabe quando alguém grava vários vídeos, mas não tem nenhuma visualização? Ou apenas a família e alguns amigos dão audiência? Pode ser bastante frustrante, mas já aconteceu com diversos especialistas da área, como a própria Francielle! "Para ganhar visualizações, eu tive que mandar para o grupo da família e dos amigos. Então, o SEO é principalmente para quem está começando! Porque quando está no início é muito importante que você alcance essa relevância dentro da plataforma. E para que o YouTube entenda que o seu canal é bom, as pessoas precisam vê-lo! Então, conforme o canal vai crescendo e vai ganhando essa relevância, você consegue brincar mais com o título, sem depender tanto do SEO", afirma a expert. Ela ainda dividiu o exemplo de uma dúvida que sempre recebe dos alunos. "Escuto muito o 'olha o canal do Whindersson, o título dele é só Psiquiatra'. Quando você ganha relevância na plataforma, não precisa tanto das técnicas de SEO, porque já estará trabalhando com uma estratégia de vídeos recomendados. Vídeos de humor, por exemplo, já sei que os do Whindersson são garantia de sucesso!", explica a especialista.

COMO O SEO AGE NO CONTEÚDO?

1 AS TÉCNICAS DE SEO
AJUDAM A SUBIR O RANKING DA PESQUISA

2 O TRÁFEGO ORGÂNICO
DO SEU CANAL TENDE A CRESCER CONSIDERAVELMENTE

3 COM A CREDIBILIDADE
DO PÚBLICO, AS CHANCES DE CONVERSÃO DE VENDAS AUMENTAM

4 EM CONTATO COM O SEU
CONTEÚDO, OS USUÁRIOS COMEÇAM A RECONHECER VOCÊ COMO AUTORIDADE NO ASSUNTO

O QUE ACONTECE DEPOIS?

Quando um usuário encontra o seu canal pelos motores de busca graças ao SEO bem feito, vem o contato com o conteúdo em si e a identificação do público com o seu trabalho. "Por isso, os criadores pedem para assinar o canal e ativar o 'sininho', para não dependerem somente das buscas orgânicas, mas conseguir ter uma entrega imediata a partir do momento em que alguém publica o conteúdo", explica Rafael Kiso, especialista em Marketing Digital.

122

SEO ON PAGE X SEO OFF PAGE

Antes de estudar SEO para o YouTube é preciso entender como a estratégia se divide em on page e off page. Enquanto a primeira significa o conjunto de técnicas de otimização aplicado internamente, que iremos aprender a seguir, a segunda consiste em medidas realizadas fora do site da marca, ou seja, trabalhar como outras páginas enxergam o seu conteúdo. Porém, como controlar algo além do seu domínio? Uma das práticas mais conhecidas acontece por meio das parcerias, como uso de links externos e indicações de páginas que já são referência no nicho. Segundo o site do Remessa Online, ainda há outras maneiras de fazer essa divulgação:

✓ Publique o vídeo e o canal nas redes sociais

✓ Divulgue o seu conteúdo no YouTube por meio do e-mail marketing

✓ Participe de fóruns e grupos do seu nicho

✓ Responda aos comentários e às mensagens dos espectadores com o link do seu vídeo

Vale lembrar que apesar de serem estratégias diferentes entre si, o objetivo é o mesmo: melhorar o posicionamento da sua página nas buscas.

3 TÉCNICAS PARA APLICAR O SEO YOUTUBE

Já aprendemos que para ampliar as chances de ter o seu conteúdo sugerido pelo YouTube, o foco deve estar em melhorar o número da taxa de cliques (CTR) e o tempo de exibição do seu vídeo. Ou seja, oferecer resultado relevante nas buscas dos visitantes! Para ajudar nesta missão, selecionamos cinco características que devem ganhar bastante cuidado.

1 PALAVRA-CHAVE E TAGS

Segundo Leonardo, a orientação é tomar cuidado com o excesso de palavras-chave, já que geram uma experiência ruim aos visitantes e violam as diretrizes da plataforma. "Apesar de existirem várias teorias sobre tags e de como usá-las, na verdade, elas são bem simples! Basta adicionar palavras-chave e frases que melhor descrevem o seu vídeo [...] Os algoritmos do YouTube as utilizarão junto com a descrição, o título e outras informações para determinar quando mostrar o seu vídeo aos espectadores", garante Bailey Rosser, estrategista de desenvolvimento da audiência, em clipe do canal YouTube Creators.

TÉCNICAS DE SEO PARA YOUTUBE

2 THUMBNAIL

Segundo Leonardo, do Minuto da Terra, focar no próprio rosto nas miniaturas dos vídeos do Laboratório 2000 trouxe resultados expressivos! "É disso que as pessoas gostam, é o que o algoritmo entrega. No Minuto da Terra, nós nunca aparecemos e já tinha gente falando como iria aumentar o número de inscritos e interações se aparecêssemos", revela o especialista. Porém, ele abandonou a ideia por um motivo mais importante: a autenticidade do projeto. "Seja fiel ao seu conteúdo e ao que você quer entregar. O que não significa deixar de tentar estratégias diferentes, porque às vezes funciona! Você precisa testar, mas sem se esquecer da sua essência", orienta Leonardo. Ainda sobre as thumbs, o fundador e CMO da mLabs Rafael Kiso afirma que elas são até mais importantes do que o próprio título, já que é a "capinha" do vídeo que entrega o aspecto visual! "A thumbnail precisa chamar atenção, um frame que aguce a curiosidade", explica o expert.

3 TÍTULO ATRATIVO

Outro item essencial para a melhora do alcance é o título! Em um material produzido para o canal do YouTube Creators, a professora de inglês Carina Fragozo comparou alguns exemplos de títulos ao usar o verbo to be como tema do vídeo:

• **English Class 1 (Aula de Inglês 1, em português)** – **Carina Fragozo**
"Esse título não tende a ser pesquisado e não é atrativo. Quem pesquisaria o meu nome, se ninguém me conhece?", explica a especialista.

• **EVERYTHING about the verb TO BE (TUDO sobre o verbo TO BE, em português).**
"Esse título é muito atrativo e fácil de ser pesquisado. Você sente que irá aprender bastante com esse vídeo e a probabilidade de cliques é maior", afirma Carina.

• **5 Tips to Master the verb TO BE (5 dicas para dominar o verbo TO BE, em português).**
"As listas também são legais porque podem ajudar a aumentar o tempo de exibição, já que as pessoas tendem a querer saber quais são as cinco dicas. Então, elas assistem ao vídeo até o final", revela a especialista.

Ainda sobre o título do vídeo, Rafael Kiso aposta em ideias simples e rápidas. "Não pode ser algo explicativo. É muito mais para robôs do que para humanos. Então, precisa ter pelo menos as três primeiras palavras-chave que você quer indexar de forma que faça com que o robô consiga encontrar (o seu conteúdo) rapidamente no resultado de busca", entrega o especialista.

BÔNUS: DESCRIÇÃO OTIMIZADA

A descrição contribui muito para o alcance do canal. O próprio YouTube recomenda começar com uma explicação breve sobre o assunto principal do vídeo. Afinal, a primeira linha da descrição aparece no resultado das buscas e a plataforma precisa saber qual é o tema do conteúdo para entregá-lo ao público certo!

SEO ON PAGE X SEO OFF PAGE

Não só de programas de edição e técnicas de SEO vive o youtuber! Afinal, quanto maior a lista de clientes e projetos, otimizar o tempo de trabalho se torna necessário. Foi pensando nisso que selecionamos três aplicativos para auxiliar na organização de tarefas – não apenas de criadores de conteúdo, mas de todo profissional do marketing digital.

CONTEÚDO

Provavelmente, a ferramenta mais famosa entre as agendas virtuais! Ela permite selecionar todas as contas Gmail, ou seja, se tiver um endereço eletrônico pessoal e outro profissional, você pode selecionar ambos para ter todos os compromissos no mesmo lugar. Além disso, o aplicativo já conta com sugestão para divisões por temas, como eventos, tarefas e lembretes. O formato de agenda também é muito prático, podendo ser alterado para diário, três dias, semanal ou mensal.
Disponível na AppStore e na Google Play Store
Preço: Gratuito

CALENDLY

Se comparado aos outros aplicativos, este é um pouco mais complicado para fazer o login, que pode ser realizado por meio da conta do Outlook, direcionando os e-mails de reuniões e eventos para a marcação do calendário. O app também cria uma página exclusiva para poder acessar pelo computador e copiar o link pessoal ou de eventos para compartilhamento. O diferencial deste aplicativo é selecionar os horários do expediente e deixar a experiência do cliente ainda mais única!
Disponível na AppStore e na Google Play Store
Preço: Gratuito

TRELLO

Outro queridinho dos experts do marketing digital! O template da ferramenta é clean e disposto de colunas e cards que podem ser arrastados para outras colunas de acordo com a prioridade do usuário, designando quem será o responsável por cada tarefa. Pessoas que já estão familiarizadas com o Kanbane Lean Management vão se adaptar muito bem ao Trello, pois é ótimo para gerenciamento de projetos.
Disponível na AppStore e na Google Play Store
Preço: Gratuito

COMO CRIAR O ROTEIRO

NÃO É COISA DE
cinema!

POR CAROLINA SALOMÃO | IMAGENS: SHUTTERSTOCK

PENSOU QUE A PRÁTICA DE CRIAR UM SCRIPT FOSSE
NECESSÁRIA – E POSSÍVEL – APENAS PARA EXPERTS DA
SÉTIMA ARTE? ENTÃO, DESCUBRA O QUANTO O ROTEIRO FAZ
DIFERENÇA NOS VÍDEOS DO YOUTUBE, SENDO BEM MAIS
DESCOMPLICADO DO QUE VOCÊ IMAGINA!

Você já tentou fazer um roteiro? O texto ou documento é tão importante para o cinema e para as peças publicitárias quanto para o YouTube, já que ele traz as informações principais do conteúdo que deve ser retratado no vídeo, desde as falas dos locutores até orientações sobre áudio, iluminação e edição. Pensando nisso, é importante lembrar que 86% das empresas usam o vídeo como uma ferramenta poderosa de marketing e 81% dos comerciantes afirmam que esse formato ajudou diretamente nas vendas de produtos e serviços, segundo pesquisa realizada pela plataforma Wyzowl, em dezembro de 2021. Com números tão altos, é preciso se dedicar para aproveitar ao máximo o vídeo marketing, não é? Por isso, a sugestão de criar um roteiro para cada produção no YouTube está na nossa lista de tópicos essenciais ao criador. Afinal,

além de otimizar o tempo de gravação, o documento revela detalhes que podem parecer insignificantes, mas que ajudam no resultado final. Por exemplo, você sabia que existe uma maneira de medir as palavras para que o texto se torne mais fluido e interessante ao espectador? Em artigo publicado em 2020, a Rock Content revelou usar a margem de 55 a 60 palavras a cada 30 segundos, de 100 a 110 palavras a cada 60 segundos, de 150 a 160 palavras a cada 90 segundos e de 200 a 215 palavras a cada 120 segundos! Legal, né? Porém, se você já está familiarizado com a definição do roteiro, mas pensa que ele atrapalha na espontaneidade da gravação, nós garantimos: não é preciso seguir o texto à risca, já que ele deve servir apenas de apoio. Com essa explicação em mente, que tal descobrir mais sobre as vantagens dessa prática?

TIPOS DE ROTEIRO

Em artigo publicado no site da Remessa Online em abril de 2022, é possível analisar três estilos simples de roteiro para você começar a se familiarizar com a prática. Conheça cada um agora!

1 TEXTO DIRETO
Como o título adianta, esse script é realizado de forma corrida e se parece com uma redação, no qual você descreve todo o discurso que pretende transmitir no vídeo. Por isso, o estilo é ideal para produções narrativas, como as dos conteúdos educativos e de edições mais simples.

2 TÉCNICO OU DE DUAS COLUNAS
Apesar de a palavra "técnico" assustar um pouco, esse tipo de texto também é simples de ser organizado e ideal para criadores que participam do processo de edição, sendo dividido em duas colunas: uma para o vídeo e outra para o áudio. Assim, o editor terá mais detalhes sobre como criar cada cena.

3 CINCO COLUNAS
Esse estilo de roteiro é indicado para produções maiores, que exigem um trabalho de edição mais complexo e um número grande de pessoas na equipe. Por isso, o planejamento é ainda mais detalhado do que os formatos anteriores, podendo conter orientações como:
• Texto falado
• Número de cada cena
• Descrição das cenas
• Nome dos locutores
• Lettering, ou seja, os textos que serão apresentados na tela.

POR QUE FAZER UM ROTEIRO?

Se você como produtor de conteúdo ainda subestima o poder do roteiro para vídeos, precisa dar uma olhada nessas vantagens apontadas por Francielle Mianes, especialista em vídeo marketing. Nós garantimos: elas fazem toda a diferença no sucesso com o YouTube. Confira!

✓ Taxa de retenção

O primeiro ponto defendido por Francielle é a questão de manter o espectador interessado no conteúdo. "Quando você faz um vídeo sem roteiro, acaba dando uma brecha para as pessoas desistirem dele antes de você entregar tudo o que tinha para oferecer! Então, para essa parte de prender a atenção da audiência, o roteiro é bem importante!", afirma a expert.

✓ Otimização na gravação

A segunda vantagem lembrada por Francielle é o ganho de tempo no momento da gravação, já que o roteiro ajuda a organizar o conteúdo e a antecipar alguns imprevistos, tornando todo o processo mais ágil. "Você otimiza o tempo de gravação, porque, quando erra, é só olhar para o roteiro e voltar ao ponto em que parou. Quando você não tem isso, esquece o que já falou, o que não falou… Então, torna a sua gravação mais estressante", explica a especialista.

✓ Detalhes

O roteiro está longe de representar apenas os discursos de quem aparece na tela, já que também é possível incluir uma série de detalhes importantes sobre o vídeo, como a trilha sonora desejada, a variação na iluminação (se necessária), mudanças na expressão facial e até orientações para a própria equipe, como o editor de vídeo.

COMO FAZER UM ROTEIRO PARA YOUTUBE?

Você pode até ter entendido sobre a importância do roteiro, mas ainda pensa que é algo muito complicado para iniciantes? Com a ajuda de Francielle, criamos um passo a passo com os tópicos que todo roteiro para o YouTube deve entregar. Vem ver!

PASSO 1: ABERTURA

Esses são os primeiros e mais decisivos segundos do vídeo. Afinal, é o momento em que o espectador decide se deve assistir ao conteúdo ou pular para o próximo. Por isso, engana-se quem pensa que uma abertura remete à apresentação do criador. "Não é começar o vídeo com 'olá, tudo bem? Eu me chamo…' Não. É, na verdade, prender a atenção da pessoa", explica Francielle. Segundo a especialista, você pode abrir com:
• "Eu sei que você está sofrendo com isso...";
• "Você precisa assistir a esse vídeo porque eu entendo o que você está passando e ele vai ajudar";
• Esclareça as dores do público, explicando por que ele precisa assistir ao seu vídeo;
Responda à pergunta: "Qual é a transformação que você vai causar no espectador?".

PASSO 2: INTRODUÇÃO

Chegou a hora de se apresentar! Aqui, você pode cumprimentar o espectador e contar o seu nome, assim como qual é o seu trabalho. "Depois disso, explique os tópicos que serão tratados no vídeo. Você pode dizer 'eu vou falar sobre isso, isso e isso'. Assim, quando a pessoa chegar à metade do vídeo, ela vai pensar 'ela avisou que iria discutir sobre tal assunto'", revela Francielle.

PASSO 3: CALL TO ACTION (CTA)

Ou "chamada para ação" em português, o termo utilizado pelos profissionais do marketing para frases ou imagens que façam com que o público tome uma ação também é essencial para o YouTube! "Ao longo do roteiro, você pode distribuir as suas chamadas", sugere Francielle. Alguns exemplos de CTAs para o decorrer do vídeo segundo a especialista são:
• "Agora, eu gostaria muito que você se inscrevesse no meu canal";
• "Inscreva-se no meu canal porque eu trago conteúdo sobre esse tema e esse assunto";
• Ou ainda o famoso: "Comenta aqui embaixo".

DICIONÁRIO DO ROTEIRISTA

Aprenda alguns dos termos técnicos mais utilizados pelos roteiristas:

Off-screen (O.S.)
Ou "fora da tela", em português. O termo é usado para quando a audiência deve escutar a voz de um dos locutores, mas sem enxergá-lo, apesar de ele estar presente na cena, como quando a câmera está focada em outro convidado.

Voice Over (V.O.)
Usado para indicar uma das técnicas mais conhecidas dos vídeos curtos das redes sociais, o termo representa uma cena em que o público escuta o locutor enquanto ele não está presente, como a voz de um narrador que explica o conteúdo em questão.

Background (BG)
Quando ler essa palavra no roteiro ou quiser indicar essa técnica, já sabe: o background, ou "plano de fundo" em português, caracteriza os elementos que devem ficar ao fundo da cena, geralmente com menor destaque. Eles podem ser lugares, trilhas sonoras etc.

Fade In ou Fade Out
Enquanto o primeiro termo se refere a uma imagem ou som que surge na cena progressivamente, a segunda palavra indica o contrário, ou seja, mostra quando um elemento deve desaparecer da tela aos poucos.

BIBLIOGRAFIA

Blog da Americanas Marketplace
https://tinyurl.com/567uu5y2
Blog da Nubank
https://tinyurl.com/mu5s9nx6
Blog do eNotas
https://tinyurl.com/bdfapt6z
Blog da Hotmart
https://tinyurl.com/5n8abmfd
Blog da mandae
https://tinyurl.com/3hw4vx4f
Blog da Netshow.me
https://tinyurl.com/2h75cpzd
Blog do Remessa Online
https://tinyurl.com/4rmd3k2j
https://tinyurl.com/4bybd69z
https://tinyurl.com/5duz88mj
https://tinyurl.com/2p9xjfs7
Blog da RockContent
https://tinyurl.com/ycksvyj3
Blog do Sambatech
https://tinyurl.com/5crurvmy
Blog Oficial do YouTube
https://tinyurl.com/yc26k52z
https://tinyurl.com/2p88zkzf
Britannica
https://tinyurl.com/mrxyarwb
Cahaltech
https://tinyurl.com/wf88mx45
Canal do YouTubeCreators
https://tinyurl.com/mry5kbab
https://tinyurl.com/yckmey3a
Canal no YouTube do Produccine
https://tinyurl.com/3jxirhyx
Canal no YouTube do TecMundo
https://tinyurl.com/yc573v4w
Canal no YouTube da Turma da Mônica
https://tinyurl.com/mr2ac4uj
Canal no YouTube da WMcCann BR
https://tinyurl.com/yzrr5mcy
Central de Ajuda do YouTube
https://tinyurl.com/59f5s5a2
https://tinyurl.com/3waauunk
https://tinyurl.com/yckwauma
https://tinyurl.com/29jr4ctd
https://tinyurl.com/yk32p2pm
https://tinyurl.com/2fjeamty

https://tinyurl.com/5339rh67
https://tinyurl.com/ycyznd55
https://tinyurl.com/bdd3fpps
https://tinyurl.com/5adfh5du
https://tinyurl.com/3rfdpsaa
https://tinyurl.com/5d2s3jke
https://tinyurl.com/2p92rwr5
https://tinyurl.com/44myhb83
https://tinyurl.com/39rvnd8x
https://tinyurl.com/a6n5s2v9
https://tinyurl.com/36489nt6
https://tinyurl.com/mvx76xf9
https://tinyurl.com/3htb8uy6
https://tinyurl.com/2nz2mywy
Diário de Notícias
https://tinyurl.com/hmzabddw
Digital 2022 Global Overview Report da We Are Sociale Hootsuite
https://tinyurl.com/365mcrde
Erico Rocha
https://tinyurl.com/ucw78xbw
Exame
https://tinyurl.com/ms9ezttf
https://tinyurl.com/yr9h234c
https://tinyurl.com/5br985kk
https://tinyurl.com/yc4uaaj8
https://tinyurl.com/4348pke3
Facebook da WMcCann Brasil
https://tinyurl.com/42aykc8m
Facebook do YouTube Space Rio
https://tinyurl.com/5bhscntx
Galinha Pintadinha
https://tinyurl.com/3wpd569w
G1
https://tinyurl.com/mrjtz82e
Hootsuite Blog "23 YouTube Stats That Matter To Marketers in 2022"
https://tinyurl.com/vt2smnd4
HubSpotInstagram Engagement Report 2021:
https://tinyurl.com/yc768nb9
Info Money
https://tinyurl.com/ye7ynez8
https://tinyurl.com/wxttbp5s
Instagram Luccas Neto
https://tinyurl.com/2ywr2p4t

Instagram Maria Clara e JP
https://tinyurl.com/2mzn4aya
Instagram de Rafael Kiso (@rkiso)
https://tinyurl.com/2jdzh4p8
Meio & Mensagem
https://tinyurl.com/mrp3uj95
https://tinyurl.com/mrrd779t
mLabs
https://tinyurl.com/2p8enmf7
MIDia RESEARCH
https://tinyurl.com/pnjm63ez
Mundo Bita
https://tinyurl.com/hzz2hh3a
Oberlo
https://tinyurl.com/5n9x5fv8
https://tinyurl.com/8bfwyy5n
Omelete
https://tinyurl.com/5dptptt5
Oxford Economics Relatório de Impacto | YouTube Brasil 2020
https://tinyurl.com/2p9y7yza
Netshow.me
https://tinyurl.com/3mk66p34
Pink Fire
https://tinyurl.com/dhekhf2z
https://tinyurl.com/3h6j9kbm
Portal POPline
https://tinyurl.com/2cxeaehn
https://tinyurl.com/vhn2bs9t
PROPMARK
https://tinyurl.com/39z2bc7v
Rock Content
https://tinyurl.com/5a9rn55c
https://tinyurl.com/333brjn8
TecMundo
https://tinyurl.com/4cxve4yt
https://tinyurl.com/mrxwjxe2
Techtudo
https://tinyurl.com/4ahw8zmx
The Wall Street Journal
https://tinyurl.com/3yyh35fn
Wyzowl
https://tinyurl.com/ycyv95zt
YouTube Para Artistas
https://tinyurl.com/3sxehpju
YouTube Works Awards
https://tinyurl.com/4r7cu9pb

Copyright desta edição ©2022 por Carolina Salomão

Direitos reservados e protegidos pela lei 9.610 de 19.2.1998.
Nenhuma parte deste livro pode ser reproduzida, arquivada em sistema de busca ou transmitida por qualquer meio, seja ele eletrônico, xérox, gravação ou outros, sem prévia autorização do detentor dos direitos, e não pode circular encadernada ou encapada de maneira distinta daquela em que foi publicada, ou sem que as mesmas condições sejam impostas aos compradores subsequentes.
1ª Impressão 2022

Presidente: Paulo Roberto Houch
MTB 0083982/SP

Coordenação Editorial: Priscilla Sipans
Coordenação de Arte: Rubens Martim (capa)
Edição: Mara Luongo
Redação: Carolina Salomão
Diagramação: Giselly Motta

Vendas: Tel.: (11) 3393-7727
(comercial2@editoraonline.com.br)

Impresso no Brasil.
Foi feito o depósito legal.

Direitos reservados ao
IBC — Instituto Brasileiro de Cultura LTDA
CNPJ 04.207.648/0001-94
Avenida Juruá, 762 — Alphaville Industrial
CEP. 06455-010 — Barueri/SP
www.editoraonline.com.br

Dados Internacionais de Catalogação na Publicação (CIP) de acordo com ISBD

S174m   Salomão, Carolina

       Marketing Digital O Segredo - Youtube / Carolina Salomão. - Barueri : Camelot Editora, 2022.
       128 p. ; 15,5cm x 23cm.

       ISBN: 978-65-80921-27-0

       1. Marketing. 2. Marketing Digital. 3. Youtube. I. Título.

2022-3873   CDD 658.8
                           CDU 658.8

Elaborado por Vagner Rodolfo da Silva - CRB-8/9410